Claudio Suárez

Historia de un Guerrero

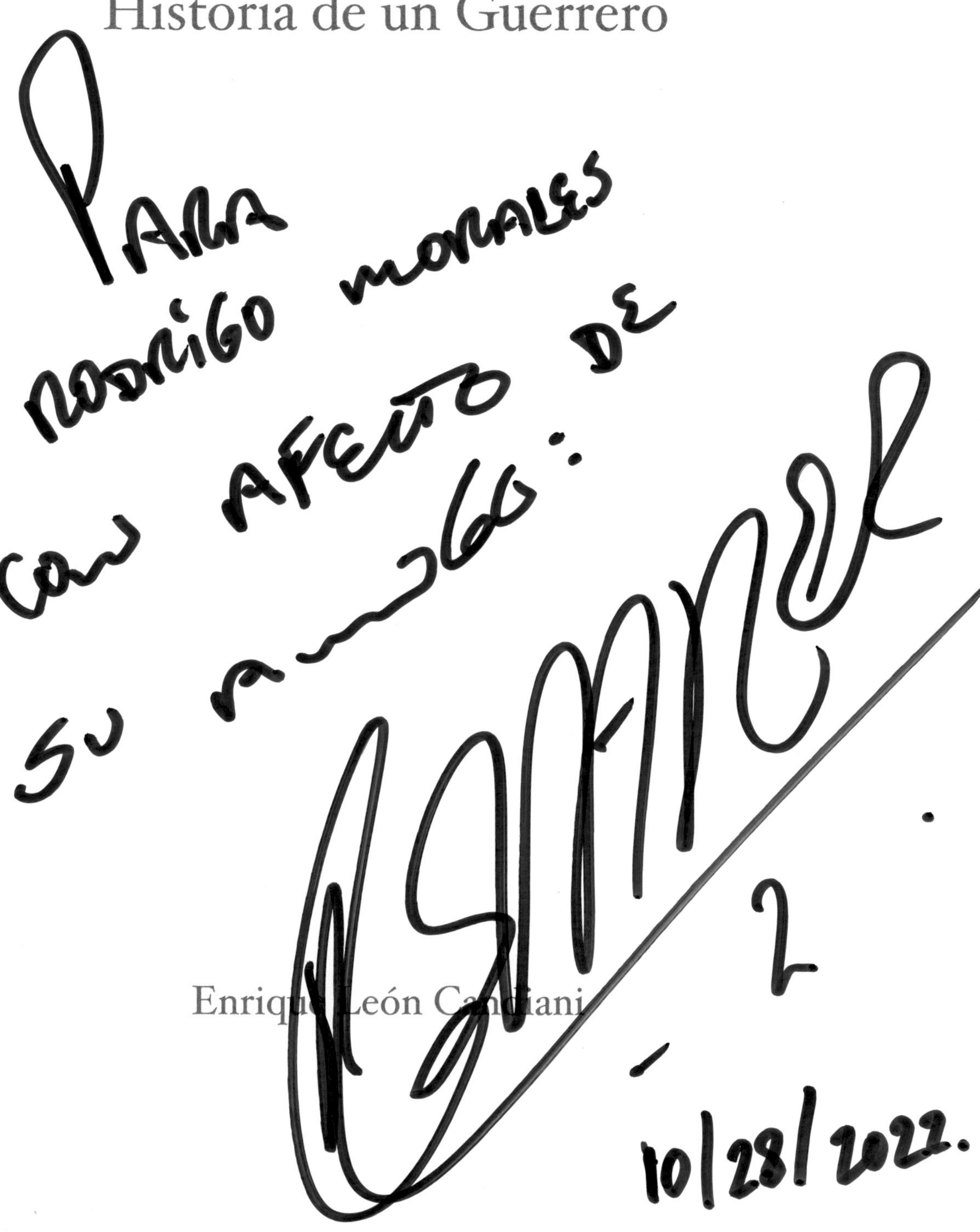

Enrique León Candiani

Dedicatoria

Doy gracias a Dios por darme la grata experiencia de poder compartir y dejar plasmado por escrito mi testimonio de vida.

Gracias a Enrique, el escritor, por creer en mí y haber iniciado este proyecto. También incluyo a Jaime Cárdenas Joya por su valiosa colaboración en la promoción y comercialización de esta obra.

Mi biografía me llena de orgullo y va dedicada a todas las personas que me han dado su apoyo, conocimiento, confianza y amistad. A ellos, que de una u otra forma me han influido para tratar de ser una mejor persona y un profesional destacado cada día.

A mis suegros, Felipe e Isabel por haberme recibido y apoyado desde un principio.

A mi cuñado Carlos, por su enorme ayuda en todo momento.

A mi esposa Irma, porque es el amor de mi vida; ella ha sido siempre mi apoyo incondicional. Desde el inicio me alentó a creer en éste proyecto. Y por el amor que nos tenemos he podido llevar esa armonía entre mi profesión y mi familia.

A mis hijos, María Fernanda, Claudio y Sandra Irma porque son mi motivación. Espero que éste legado lo tengan presente a lo largo de sus vidas como una prueba de que he tratado de darles un buen ejemplo, en el terreno profesional y familiar.

A mis hermanos, Javier, René, Sergio, José Luis, Vicente, Jesús, Noé, Juan Carlos porque por ellos comencé a tener el gusto por el futbol y por todos aquellos momentos felices e inolvidables de la infancia.

A mis padres, Francisca y Vicente por haberme dado la vida. Porque por ellos aprendí a ser disciplinado en el trabajo y a ser un hombre de bien. Porque gracias a su esfuerzo, por sacarme adelante, pude sentirme realizado y aunque mi padre ya no está físicamente conmigo espero esté, desde el cielo, muy orgulloso y satisfecho de mí.

Claudio

Claudio Suárez

Historia de un Guerrero

Enrique León Candiani

Claudio Suárez

Historia de un Guerrero

Enrique León Candiani

Créditos

Diseño original
Julio César Salazar Salazar
Sergio Lozano Hernández

Diseño complementario
Sinaí Bucio Rayas

Diseño y realización de portada
Enventys
David Leah, *Mexsport*

Fotografía digital
Verónica Gutiérrez Rentería
Gilda Silva Chirinos

Revisión de textos
Ramón Gil Olivo
Flor Alejandra Gómez Contreras

Fotografías
El Universal, Esto, Ovaciones, Mural, Mexsport, Ocho Columnas, Público, Récord; David Leah, Pedro Vázquez Díaz, Juan Miranda, Víctor Arévalo. Archivo familiar: Suárez Cano, Suárez Sánchez y Cano Salgado.

Amateditorial, S.A. de C.V.
Emiliano Zapata No. 15
Col. El Mante, Zapopan, Jal.

ISBN: 978-0-9815614-0-0
Primera edición: mayo 2008
Impreso en México/Printed in Mexico

Semblanza del autor

Es licenciado en Periodismo y Comunicación Colectiva por la UNAM. Obtuvo la especialidad en Antropología y Ética por la Universidad Panamericana y cursó la maestría en Estudios Cinematográficos por la Universidad de Guadalajara.

Por más de 17 años se ha desempeñado como periodista deportivo y ha trabajado en televisión: Canal Súper 6, en Guadalajara, Canal 7 del Sistema Jaliscience de Radio y Televisión, MVS Multivisión, Telemundo. En radio: Promomedios, Radio Universidad de Guadalajara, Radio Fórmula y Canal 58. Fungió como coeditor en el periódico *Mural* y se desempeñó como corresponsal en *El Universal.*

Como seleccionado nacional de water polo asisitió a Juegos Centroamericanos y del Caribe (1974 y 1978), Preolímpico (1976) y el Campeonato Mundial de Natación en Alemania (1978).

Agradecimientos

A la memoria de Víctor Manuel León Monterde,
mi padre.

Este proyecto *Claudio Suárez: Historia de un Guerrero,* es un sueño hecho realidad.

Mi primer impulso es agradecer a quienes con una actitud alentadora y desinteresada lo apoyaron. Claudio tomó la iniciativa al creer que su vida puede ser leía por quienes aspiran a ser mejores. Claudio e Irma junto con sus hijos María Fernanda, Claudio Jr. y Sandra Irma siempre dieron lo mejor de sí en calidad humana para la confección de ésta biografía. Fueron 18 meses de charlas amenas e interesantes, acompañadas con una confortable hospitalidad.

También incluyo a los papás de Claudio: doña Francisca Sánchez Flores y don Vicente Suárez Olvera (q.e.p.d.) así como a sus suegros: doña Isabel y don Felipe y a su cuñado Carlos. A los hermanos del Guerrero: Javier, René, Sergio, José Luis, Vicente, Jesús, Noé y Juan Carlos por su cooperación y atención que en Texcoco me ofrecieron.

Para el periodista Juan Javier Morales Valdez, quien abrió las puertas de su casa en Monterrey como posada y espacio para escribir. A quienes ayudaron con instrumentos de trabajo: Carlos Alberto Arroyo Ramírez, Ángel González Vázquez y Sinaí Bucio Rayas.

A Enrique Borja quien de tú a tú de Ejemplo a Ejemplo se dirigió a Claudio; a Gilberto Alcalá Pineda, quien no dudó en marcar los límites del Prefacio y a Jorge Pietrasanta, quien narró la Introducción de este libro. Gracias por su abierto apoyo a los periódicos: *El Universal, Esto, Ovaciones, Mural, Ocho Columnas, Público y Récord.* A la agencia de deportes *Mexsport,* además a los fotógrafos: David Leah, Pedro Vázquez Díaz, Juan Miranda, Víctor Arévalo Pérez y al archivo fotográfico de las familias: Suárez Cano, Suárez Sánchez y Cano Salgado.

A los técnicos, directivos y jugadores de futbol que expresaron su sentir sobre el guerrero mexicano del siglo XXI. A los Pumas y a la directiva del equipo Tigres.

También tienen que ver y mucho el Dr. Ramón Gil Olivo por su dirección y orientación acertada en este trabajo y por sus sugerencias a la Dra. Martha Vidrio. Al Dr. Rigoberto Castellanos del Toro por su atención siempre oportuna y desinteresada. Por su intensa colaboración a Eva Jara Castillo de la biblioteca UAG y en ITESO, a Gilberto Medina Gradilla.

En lo comercial a Jaime Cárdenas Joya y a la empresa Enventys especializada en lanzar nuevos valores al mercado hispano en Estados Unidos. Al doctor Enrique Aguilar Cisneros por creer e impulsar este proyecto.

Mi gratitud se extiende a los sacerdotes Jesús Gómez Fregoso SJ, Jorge Guzmán LC, al Sr. Cura Francisco Javier González Saavedra, al sacerdote Salvador Sanchéz Sánchez y Carlos Mongardi SX por sus valiosas e inteligentes sugerencias.

Este proyecto no hubiera alcanzado su realización sin el apoyo económico y moral de Claudio Suárez, Valentín González Maciel y Estanislao Flores Senosian así como de mis suegros María Teresa Maciel de González y Valentín González Sotelo. A mi mamá Alicia Candiani Martz y a mis hermanos Víctor, Sergio y Alicia.

De manera especial a mí esposa María Teresa y a mis hijos Enrique, Maritere y Valentín por su amor incondicional y porque son bien correspondidos.

A Dios, por el maravilloso don de la vida y por darme el privilegio de ser portador de buenas noticias.

Y a usted lector por aprovechar la oportunidad de acercarse a un deportista con toda la talla de un mexicano ejemplar.

Enrique León Candiani
Periodista

Coca-Cola
Cemento Monterrey
ERSITARIO
CARTA BLANCA
16
25

De ejemplo a ejemplo

Es un gran orgullo para mí hablar de Claudio Suárez. Este sentimiento aumenta si se trata de dejar por escrito algunos momentos que compartimos alrededor de este hermoso juego que es el futbol.

Podría comentar varios temas sobre la figura de Claudio que se enriquecerían por muchas personas a quienes se les pidiera su opinión.

Admirar a Claudio como futbolista me lleva a decir por un lado, que me hubiera gustado enfrentarme a él. En mi posición de centro delantero y él en la defensa me hubiera significado siempre un gran reto. Por el otro, cómo me hubiera gustado tenerlo de compañero de equipo o en la Selección Mexicana, ya que su futbol, presencia, autoridad y compañerismo son valores que lo han caracterizado a través de su larga trayectoria deportiva.

Siendo yo presidente de Tigres en el 2000 y después de contratar a Ricardo "Tuca" Ferretti, técnico que estaba con las Chivas, decidimos, debido a que la competencia es durísima, que nuestro equipo tenía que estar formado por jugadores que reunieran varios requisitos. A Claudio lo adquirimos del Guadalajara como jugador y maestro, ya que deseábamos que los jóvenes valores de nuestras Fuerzas Básicas tuvieran un gran ejemplo a seguir, además necesitábamos liderazgo, don de gente y sobre todo calidad humana. Esto es suficiente para describir la clase de persona y jugador que ha sido, es y será Claudio Suárez.

También tuve la oportunidad de ser presidente de la Federación Mexicana de Futbol y de la Comisión de Selecciones Nacionales y convivir con Claudio como un auténtico referente del futbol mexicano: serio, profesional, confiable, compañero y líder, cualidades que no es fácil hallarlas en una sola persona.

Al decir la cantidad de juegos en que ha participado en los casi 20 años de profesional o las veces que ha regresado de lesiones cuando nadie lo creía, o seguir jugando en el 2008 con alto nivel, no lleva más que decirles a todos ustedes, queridos lectores, que ojalá sigan saliendo seres humanos y jugadores con las características de Claudio Suárez.

Como su directivo que fui, su admirador, pero principalmente como su amigo, solo le puedo decir: Gracias Claudio, por el futbol y por tus compañeros, ¡ah! y ten la seguridad que en cualquier equipo que yo esté trabajando, en el momento que te retires, tendrás siempre un lugar conmigo para beneficio del futbol y como agradecimiento de nuestro público.

Enrique Borja
Ex jugador y directivo de futbol

Prólogo

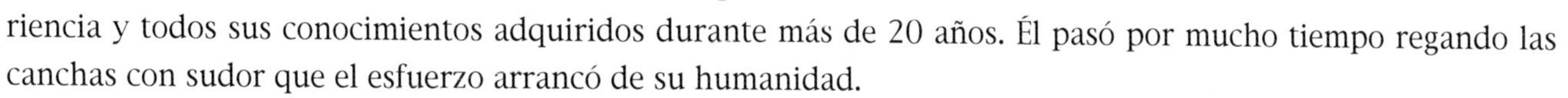

Es sumamente gratificante aceptar la invitación a colaborar en la edición de la obra: *Claudio Suárez: Historia de un Guerrero*, cuando uno lleva el futbol en el corazón, en la sangre y en la pasión y cuando uno ha entregado más de media vida a éste maravilloso deporte.

Claudio, "El Emperador", significa para el futbol mexicano y mundial un ejemplo de honestidad, dedicación, sobriedad y entrega total a su deporte. Este hombre admirable ha demostrado que no se necesita andar en escándalos personales, ni vociferar frente a los micrófonos contra otras personas para ser querido y admirado por la afición.

En esta obra encontramos a un hombre serio e inteligente que ojalá no se aleje del futbol cuando llegue su retiro de las canchas. Creo que Claudio debe seguir trabajando en otras áreas de este deporte para que transmita a los jóvenes aspirantes a estrellas, su experiencia y todos sus conocimientos adquiridos durante más de 20 años. Él pasó por mucho tiempo regando las canchas con sudor que el esfuerzo arrancó de su humanidad.

Claudio Suárez: Historia de un Guerrero es más que una obra literaria, es un acto de justicia; sí, de una justicia deportiva que no siempre se da. Qué bueno y vaya nuestra felicitación para quienes tomaron la sabia decisión de llevarlo acabo.

En Claudio observamos, a través del texto, a un hombre que entrega su vida y da testimonio de que los actos de superación sí existen. En Claudio la niñez y la juventud de México han visto el ejemplo claro de un hombre de triunfo, entrega y profesional dentro de las canchas como en su vida privada; ha sido íntegro, esposo fiel y padre ejemplar.

"Gracias Claudio por esta obra que nos ofreces. Yo como tantos en el futbol mexicano reconocemos en ti al amigo sincero y querido que siempre ha estado presto a ofrecer su mano y ayuda incondicional. En lo personal hay cosas que me enorgullecen: haberte conocido y ser tu amigo".

A Claudio y a mí nos une, desde hace mucho tiempo, una amistad profunda e indestructible; amistad de la que me siento muy orgulloso.

Finalmente amigos lectores, adentrarse en este libro representará, sin duda, una experiencia apasionante de encuentro con la vida y la obra deportiva de "El Emperador". Es la historia de un guerrero, el testimonio claro de un gran deportista.

Gilberto Alcalá Pineda
Ex árbitro Internacional Mexicano

Introducción

Muchos prefieren las carreras de velocidad, pero no tengo duda de que son mejores las de resistencia, las sigilosas, las que alcanzan objetivos día con día.

Esas competencias que procuran mirar hacia delante, quizás no tan lejos, pero siempre hacia delante; esas que llevan a cabo los auténticos guerreros como Claudio Suárez.

¡Vaya trayectoria! deportiva y personal nos hubiéramos perdido si nuestro gran guerrero del Tricolor se hubiera dejado vencer por dolor o el desánimo.

Dentro y fuera de las canchas Claudio Suárez se ha manifestado como un hombre de lucha, entregado, valiente, disciplinado, sencillo, efectivo y eficiente.

Este libro que tienes en tus manos es la más clara muestra de lo descrito. Sumar más de 178 juegos con Selección Mexicana no puede sustentarse jamás en un luchador que prefiere tomar las veredas y no la línea del combate que lleva al éxito.

Claudio es callado sin ser introvertido, sólido, resistente y constante; alcanza sus objetivos día con día, no se distrae porque mira la vida con una actitud positiva.

Claudio es un ser humano como nosotros, también comete errores, jala la camiseta dentro del área, le pegan y responde. Al mismo tiempo anota goles y defiende con valor a su equipo. En pocas ocasiones ha parado cuando su cuerpo no responde, pero sólo el dolor detiene la marcha de lo visible, no de su mente.

Claudio es como tú y como yo, es un héroe alcanzable en su actitud y visión de la vida. Él es como millones de mexicanos que deseamos ser alguien en la vida, pero: ¿Qué es ser alguien?

Para mí es conseguir lo que se quiere. En este caso tan específico Claudio, el guerrero de Selección Mexicana, responde, en su libro, a ésta pregunta.

¿Sabes qué ha querido ser Claudio? Simplemente Claudio. No ha sido el temor a los obstáculos sino el deseo de superar y disfrutar lo que hace.

Varias ocasiones le he preguntado a Claudio si su retiro está cercano; me ha respondido que no. Después de verlo en la cancha, en su partido 178 con la Selección Mexicana me doy cuenta que no es un capricho, tampoco es saborear las mieles de la fama; sólo es un conocimiento pleno de años y años de carrera, también un conocimiento pleno del ser. Claudio sabe quién es Suárez y viceversa.

Disfruta las siguientes páginas como yo las disfruté, porque pocas veces tenemos la oportunidad de adentrarnos en la vida de un héroe, muy cercano a nosotros, de carne y hueso.

Espero que ésta lectura te motive como me ha motivado a ser un auténtico guerrero en la vida.

Jorge Pietrasanta
Comentarista deportivo

Índice

Secretos de familia

CAPÍTULO 1

La cancha de un líder

Vivió su infancia con la normalidad propia de un niño de campo: ilusionado por conquistar el mundo del futbol que le mostraban sus hermanos y la televisión.

Cuando Claudio vio la luz el 17 de diciembre de 1968, Texcoco no pasaba de 65 mil habitantes y la colonia Emiliano Zapata del ISSSTE, afuera de la ciudad, de 300.

Texcoco representó todo en sus primeros años; en la privación más extrema nunca se derrotó su ánimo, ni sus ambiciones de jugar se vieron frustradas.

"Me gustó el nombre de Claudio porque en ese entonces había un jugador en el Monterrey llamado Claudio Lostanou"

Papá de Claudio

Para Claudio era suficiente una cancha de futbol de tierra al lado de su pequeña casa ubicada a un kilómetro de la Universidad de Chapingo.

PARROQUIA DE SAN ANTONIO
SAGRARIO DIOCESANO
Plaza de la Constitución 154
TEXCOCO, MEX.

El día 18 *de* noviembre *de* 1969 *ha sido bautizado en esta Parroquia un niño a quien se le puso por nombre* Claudio
nacido en México D.F.
el día 17 *de* diciembre *de* 1968 *hijo* legítimo
del Sr. [illegible] Suárez
y de la Sra. Francisca Sánchez
Fueron sus padrinos: el Sr. Vicente Olvera Juárez
y la Sra. Natividad Suárez Pérez

Por EL PARROCO,
Pbro. Hilario [illegible]

Era identificado entre los cuates del barrio con balones usados, con un par de zapatos desgastados y vestido con ropa heredada de los "grandes".

Le custodiaban la humildad, disciplina, obediencia, decisión, valor y el deseo enorme por llegar a ser un profesional del balompié; esas virtudes jugaron un papel importante para contrarrestar su dolor, pobreza, hambre y desesperación. En su entorno en Texcoco se paseaban

Siempre juntos

Al salir de la Basílica de Guadalupe en el D.F. doña Francisca posa con sus 7 de 9 hijos; en brazos con Juan Carlos, Vicente (de izquierda a derecha) Jesús, José Luis, Claudio, Noé y Sergio.

en búsqueda de clientes, la mediocridad, el conformismo y los vicios; él supo huir de la tentación con valor, apoyado por sus hermanos y padres.

De niño le daba lo mismo iniciar su carrera futbolística en Pumas, Atlante, Chivas, Tigres o con el equipo que se le cruzara en el camino. Lo que Claudio deseaba era pisar una cancha empastada, sentir la emoción de correr en un estadio, ante la mirada de miles de aficionados; aprender todo lo posible sin olvidar que su ilusión se recompensara con dinero suficiente para adquirir comida.

Sonrisa

Claudio desde muy pequeño mostró ser un niño alegre y entusiasta.
Abajo derecha, con hermanos y primas en los terrenos cerca de su casa en Texcoco.

"Tuve una niñez muy divertida a pesar de las carencias económicas; no me daba cuenta de lo que pasaba en casa mientras me dijeran: 'Come, juega, estudia'. De repente llegaba el capricho de querer tener otras cosas, pero mi mamá y papá me decían: 'No hay y ya, no les podemos comprar'.

Recuerdo que dentro de las carencias no había ropa, ni zapatos, prácticamente nos íbamos heredando los 'gallitos' del más grande que dejaba un pantalón y otro hermano se lo ponía; me acuerdo que tenía dos pantalones uno de la escuela y otro para todas las ocasiones.

Parecía retrato con los mismos pantalones, uno se lavaba mientras me ponía el otro; me acuerdo que iba a la escuela con zapatos de futbol bien grandotes que llevaba de mi hermano, me veía como payaso, por cierto los tacos bien desgastados; me acuerdo de eso, se me quedó muy grabado porque me daba mucha pena ir a la escuela con zapatos de juego".

"Supuestamente dice mi mamá que yo tenía convulsiones de chiquito, de recién nacido, que era una cosa muy grave, por eso ellos me llevaron a bautizar; mis padrinos son mis abuelitos"

Claudio

El primer impulso

La casa de la familia Suárez Sánchez era pequeña, no más allá de 140 metros cuadrados de construcción. Ellos practicaban un tipo de organización tribal a la mexicana a fin de que el espacio reducido, de cuatro paredes, un techo, dos cuartos, cocina, baño y comedor, se viera en orden mientras doña Francisca, mamá de Claudio, se debatía entre marchantes. Don Vicente repartía medicamentos y enfermos en una ambulancia del ISSSTE.

Doña Francisca atendía a su marido y a nueve hijos varones,

además presumía, entre los vecinos, de tener en el hogar a casi un equipo de futbol. Les exigía en las labores domésticas tanto como lo hace en la cancha un preparador físico; sufría en todo momento como responsable de la dirección técnica de su vivienda.

No le era fácil servir a cada uno en sus necesidades, no le quedaba de otra que implementar el trabajo en equipo, lo que sería en un futuro, de mucha utilidad, para el desarrollo de Claudio en su capacidad de adaptación, disciplina y sacrificio en Pumas, Chivas, Tigres, Chivas USA y por más de 14 años en la Selección Nacional.

"Claudio con sus primeras ganancias me compró una lavadora porque todo lo hacía a mano"

Mamá de Claudio

"Claudio fue mi quinto hijo y yo decía: 'No hay quinto malo'. La situación en la que estábamos no nos quedaba de otra que trabajar para salir adelante, éramos muy pobres.

Me salía a vender ropa y gelatinas al mercado; al mayor le dejaba la responsabilidad de los demás hijos y sólo me llevaba al que estaba criando, era muy pesado para mí. Ellos se tenían que poner de acuerdo para hacer los pendientes de la casa.

Especialmente a Javier, el más grande, le enseñé a cocinar, luego a los demás. En ese tiempo mi esposo ganaba muy poco. El apoyo también venía de los vecinos, nos llevábamos muy bien; en la colonia sólo había 100 casas y hacia los lados puros terrenos baldíos".

Espacios reducidos ▼

El zaguán de la casa fue el lugar en donde Claudio (hincado) aprendió a golpear el balón.

De esta manera los hermanos de Claudio resolvían a quiénes les tocaban las tareas de la casa. No había una mejor manera de repartir responsabilidades si no era por medio del futbol; el método era efectivo, al instante y a la vista de todos. Las quejas se eliminaban, los reclamos se esfumaban porque se llevaban un año de diferencia; le pegaban al balón con decoro y estilo como niños de edad "avanzada".

"Siempre me divertía con mis hermanos, porque era jugar en la escuela a la hora del descanso, cascarita en la tierra o en el espacio que hubiera. La casa en Texcoco tenía un andador muy angosto, pero nos la pasábamos jugando dos contra dos. Ahí jugábamos, el que metía el gol se ponía de portero. En ese tiempo todos querían ser porteros y jugar la cascarita con los cuates que se juntaban.

"Me hubiera gustado que alguno de mis hijos estuviera en la Marina, inclusive a Vicente lo mandé, pero no lo aceptaron"

Mamá de Claudio

La entrada del portón de la casa la usábamos de portería; ahí era el centro de los remates, nos aventábamos y agarrábamos lo que era parte del garage para tirar penales; Todos los vidrios de nuestra casa estaban parchados con cartón o hule o lo que hubiera para cubrir.

Mi mamá siempre iba al mercado a vender ropa o al mandado. Ella nos encargaba el quehacer de la casa: tender las camas, barrer, trapear, lavar los trastes. Los hermanos nos poníamos de acuerdo y cada quien hacía una cosa, pero muchas veces jugábamos penales, para ver quién lavaba los platos y salíamos una vez más para tirar otra tanda y saber quién barría; así era, me acuerdo con frecuencia lo que fue mi infancia.

Por las tardes y hasta la noche jugábamos. En ese entonces había una cancha de futbol de tierra cerquita y ahí nos la pasábamos con el balón. Después la quitaron para hacer casas; resentimos mucho, a los que nos gustaba el futbol, porque ya no había un amplio lugar donde jugar.

Teníamos una carencia económica tremenda; los únicos que aportaban dinero era mi papá y mi hermano Javier, nosotros muy poco. Algunos de mis hermanos y yo pasábamos a las casas de los vecinos a recoger su basura y nos daban propina. Después un amigo, Mario Flores, nos invitó a trabajar con él en la recolección de basura ya que su papá tenía un camión de volteo, él aprovechaba que el Municipio no daba ese servicio. Otra actividad a la que nos dedicábamos era a podar los jardines de los vecinos y con eso obteníamos dinero extra. También estuve trabajando como cerillo junto con mi amigo Arturo Anzaldo, en ese entonces tenía entre 10 ó 12 años.

De repente empezaron a hacer casas en el terreno de futbol y mi mamá empezó a vender comida, tortas, dulces para los trabajadores. Me daba una pena enorme ir a vender y muchas veces nadie quería de mis hermanos.

Una vez mi mamá me levantó en la mañana y le dije: 'No, no y no voy' y me salí, hacía mucho frío y me fui a la azotea, lloré por la pena de ir a vender; después me animé, no tenía nada de malo, al contrario.

Posteriormente ya no sólo vendíamos sino que nos metimos juntos a trabajar de pintores, de yeseros; resanábamos aunque nos pagaban cualquier cosa, pero como ayuda aportábamos algo a la casa.

Día de campo ▼

Doña Francisca se daba tiempo para acompañar a sus hijos. Claudio se mantiene a la izquierda de su mamá mientras sus hermanos miran a la cámara.

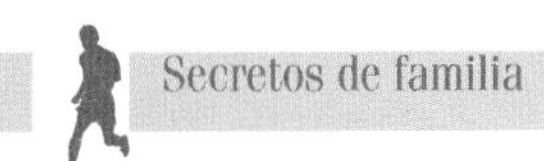

Seguíamos en la calle con la pelota; la verdad nos arriesgábamos. Un día a René mi hermano lo atropelló un carro, le pegó en la parte de la cadera, lo llevaron al hospital.

Mi primo Paco, quien levantó por andar de travieso una coladera, se fracturó los dedos de la mano izquierda, fue horrible; mis papás ya no querían que jugáramos, pero era nuestra diversión.

Los vecinos ya no nos aguantaban; había una señora enfrente de la casa que sufrió con nuestro deseo de jugar por todas partes. Me acuerdo quién sabe cuántas pelotas se quedaron dentro de su casa, ya no nos la regresaba o nos las aventaba todas ponchadas. Una vez uno de mis hermanos le tiro al balón y se le salió el zapato directito al vidrio y lo rompió y con la vergüenza del mundo fuimos a pedirlo. Lo que nos daba risa es que casi todos teníamos los zapatos rotos y todavía íbamos a reclamarlo.

Un día dos de mis hermanos, Noé y Jesús, por andar de traviesos le pegaron a un perro y la dueña los vio y los correteó; a Noé se le zafó el zapato y ella detuvo a Noé, quien intentó regresar por el. La señora le fue a reclamar a mis papás, regañaron a Chucho y a Noé, y nosotros nos reíamos porque se regresó por el zapato que estaba viejo y roto, ya ni servía. Así era nuestra infancia, algunas veces también me tocó los regaños de mis papás por travieso".

"Yo lo veía como alguien que Dios me había enviado, como una luz en mi vida; así he sentido a todos mis hijos, pero en especial a Claudio, lo sentía muy pobrecito"

Mamá de Claudio

A un lado de la cancha ▼

La familia Suárez Sánchez tuvo que enfrentar situaciones difíciles que no impidieron que practicaran deporte.

Fuente de inspiración

El gusto por el futbol le llegó a Claudio en la década de los 70. Con un ojo admiraba a sus hermanos Javier, René, Sergio y José Luis por su entrega, valor, toque de balón y audacia dentro del terreno de juego.

Con el otro ojo se daba tiempo para sumar, soñar, ilusionarse. Los juegos transmitidos por la televisión tocaron su visión de lo alcanzable y lo imposible.

Los primeros cuatro le enseñaron a pegarle a la pelota y a reconocer los sabores del deporte; a meter los pies y por si fuera necesario las manos. Al mismo tiempo los fundamentos del futbol sin esperar que algún día llegara a figurar en el profesionalismo y mucho menos en el Tricolor.

Las representaciones de lo que no era, pero quería ser salían a flote tan pronto terminaba un encuentro; apagaba la luz de la caja "mágica" y corría a la calle a mostrar las lecciones aprendidas con todo y sus riesgos.

"Veíamos los partidos a las 12 del día y cuando terminaban jugábamos a que cada quien tenía ídolos: 'Yo soy Hugo Sánchez', decía uno. Yo siempre pedía la posición de portero y gritaba: 'Soy Miguel Zelada' o 'Soy Daniel Brailovsky del América, échamela la bola'; cada quien se creía profesional. Yo le calculo que tenía entre los 11 y 13 años. La mayoría de la colonia le íbamos al América, Pumas y Cruz Azul, no veía quién le fuera a Chivas. De los jugadores que también admirábamos estaban Ricardo 'Tuca' Ferretti y Manolo Negrete".

"En el futbol se requiere de un padrino, alguien que le ayude a uno; todos aquí en nuestra región teníamos temor de irnos a probar a México, era difícil"

Javier, hermano

Una voz en el desierto

Acostumbraba Claudio acompañar a su papá cuando éste salía de Texcoco. A don Vicente le encomendaban ir y venir, llevar y traer en la ambulancia medicamentos además de enfermos, todos ellos con la esperanza de recuperar, ya no el tiempo, sino el valioso privilegio de la salud.

En un viaje a Zacatecas don Vicente se desvió hacia Fresnillo para que Claudio conociera la iglesia principal y que desde ahí pusiera en el altar sus más fervientes súplicas y buenas intenciones. Al salir jamás imaginó que alguien por aquellos rumbos, sin el mayor interés por el futbol, se acercara a él y sin protocolo le diera buenas noticias que se grabarían en su mente de por vida.

"Mi papá me llevó a la iglesia para mirar al Santo Niño de Atocha y justo cuando íbamos bajando las escaleras del atrio se fue a comprar en un puesto y de repente un señor se me acercó y me preguntó: '¿Con quién vienes?', le contesté: 'Con mi papá' y me dijo: 'Que Dios te bendiga; tú vas a ser famoso, te va a ir muy bien'; él iba vestido de café. Le platiqué a mi papá, quien se quedó pensativo por lo que me habían dicho.

La conversación fue muy corta, el señor se veía humilde y no pedía limosna. Tan pronto hablamos, él se retiró y nunca más le volví a ver, tenía 15 años de edad".

Cerca de Dios

Don Vicente posa con Claudio afuera de la iglesia del Santo Niño de Atocha en Fresnillo, Zacatecas.

Los obstáculos

La cohesión de grupo entre sus hermanos, en los primeros años de vida, permitió a Claudio enfrentar las piedras en el camino con la camiseta bien puesta.

Cursó la primaria y secundaria sin ningún reconocimiento ni mérito especial. Nada que mereciera estar en el cuadro de honor ni medallas ni trofeos, ésos estaban destinados para otro tiempo. La preparatoria quedó inconclusa y todo por el deseo de ser grande en el ba-

Juntos como hermanos ▲

René (arriba de izquierda a derecha) Sergio, José Luis y Claudio el día de su Primera Comunión.

lompié. Él no sabía que construía un futuro prometedor, menos sus padres, quienes lo apuraban a no descuidar sus estudios, trabajar en tiempos libres, disminuir la práctica del ejercicio para llegar a figurar en la comunidad como un hombre "de bien y de provecho".

A sus 12 años, Claudio se definió por triunfar en el futbol, alejarse de las amistades negativas, de malas costumbres y hacer lo posible por no contrariar a doña Francisca y don Vicente, sus progenitores.

"Confieso que no era muy aplicado en la escuela, pero me defendía y sacaba siempre más o menos calificaciones. En la secundaria era un poquito vago con los amigos; no entrábamos a clases con tal de ir a jugar. Siempre era por estar pateando el balón.

En ese entonces se empezó a meter la rivalidad con algunas pandillitas; nosotros no éramos así, nos daba más bien por jugar, pero del otro lado de la colonia, algunos chavos se dedicaban a hacer travesuras, al vicio de fumar, tomar cerveza, eso provocó una rivalidad especial cuando había partidos. Los de enfrente nos respetaban porque Javier, el mayor de nosotros, nos defendía, le tenían miedo porque era bueno para los trancazos. Había en la colonia quienes jugaban muy bien, pero cuando se metieron en el vicio se perdieron y eso provocó que nos separáramos y nos organizáramos en una Liga de niños.

"Mi hijo Claudio nació aquí en Texcoco, donde está la estatua de Nezahaulcoyótl, ahí está la clínica de Salubridad, por eso lo de "El Emperador"

Mamá de Claudio

Ahí fue cuando empecé a responsabilizarme de practicar más en serio; el mejor era mi hermano Sergio, bueno Javier, pero nos llevaba más de 10 años.

Cumplidos los 13 ó 14 años de edad Javier me llevó a Texcoco a un equipo de adultos, llamado 13 Negro. Él jugaba ahí y empezó a meter a los otros tres que eran mayores y luego a mí. Llegó un momento que jugábamos los cinco, pero yo casi no participaba porque estaba muy chiquito, en comparación de otros que habían jugado en la Primera División.

De hecho me desanimé y junto con Sergio nos salimos para ir al CDC (Club Deportivo Conchita) en la misma Liga y ahí fue donde empecé a jugar más constante. Mis primeras participaciones fueron de delantero y casi al mismo tiempo de mediocampista. Con el CDC empezamos a ganar campeonatos, Sergio era la estrella.

Me acuerdo que jugaba en la Liga, Toninho uno que había vestido la camiseta del América en los 70. Él se fue a vivir a Texcoco, eso da la idea de que los torneos eran competitivos; también estaban ahí quienes habían participado en Segunda y Tercera División".

A las pruebas me remito ▼

Claudio conocía sus cualidades y prefirió seguir en el camino del futbol; abandonó la escuela para dedicarse a un mundo lleno de retos.

Página siguiente, Claudio al lado de su hermano Juan Carlos.

Un paso decisivo

Sellado con el "gusanito" del futbol en su corazón, Claudio siguió algunos caminos y brechas recorridos por sus hermanos. Se le veía en Texcoco con perspectivas de destacar, pero aún era muy joven como para ofrecer un pronóstico alentador.

Jugaba lo suficiente para ser considerado en un equipo de la localidad. Le faltaba el toque fino de un entrenador con la sabiduría y sensibilidad futbolístico-profético. Alguien que le condujera por los senderos prácticos de la disciplina, orden, entrega, pasión, actitud ganadora y que le dedicara tiempo para reenseñarle las bases del balompié.

Sus pininos a nivel municipal con la SAHOP, 13 Negro, el Club Deportivo Conchita, Irapuato de San Bernardino, Cardenales y COM le dieron el fogueo suficiente para tomar la iniciativa de emigrar. Buscaba nuevos aires, codearse con los mejores, aprender en el tú a tú la fricción del profesionalismo de altura. Además leer con precisión el momento adecuado para llegar a tiempo a la jugada, recibir y dar patadas en el pastito y de vez en cuando sentir la emoción y el apapacho por anotar un gol.

Claudio y Sergio provocaron un cambio en sus vidas: creyeron en ellos mismos y vencieron el miedo al qué dirán. Abrieron sus oídos y escucharon una voz que se les cruzó en el camino. Él fue el primero en manifestar su fe en que algo bueno podía salir de las tierras del prehispánico Texcoco; les vio madera, habló cara a cara y rodó el balón.

"Creo que la idea de probarnos en un equipo nace de José Luis Mendoza que le apodábamos 'San Antonio', amigo de la casa del ISSSTE; él fue el que nos entusiasmó. Él iba y amaba a

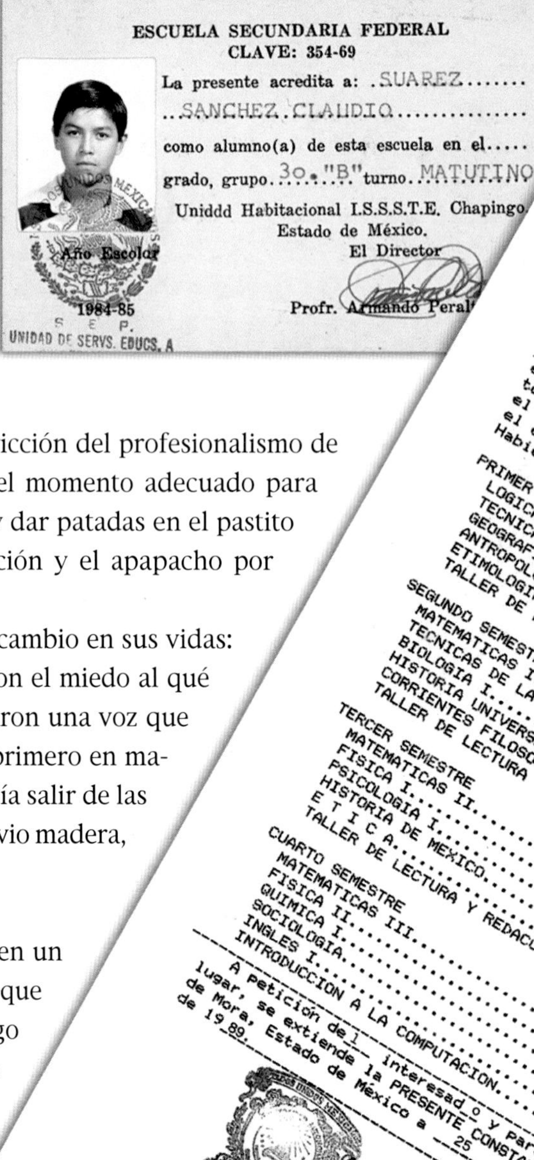

ESCUELA SECUNDARIA FEDERAL
CLAVE: 354-69
La presente acredita a: .SUAREZ.......
..SANCHEZ.CLAUDIO...............
como alumno(a) de esta escuela en el.....
grado, grupo. 3o. "B" turno. MATUTINO
Uniddd Habitacional I.S.S.S.T.E. Chapingo
Estado de México.
El Director
Profr. Armando Peral
Año Escolar 1984-85
S E P.
UNIDAD DE SERVS. EDUCS. A

Universidad Autónoma
UAEM

A QUIEN CORRESPONDA:
El que suscribe, Lic. Gabriel Ju[illegible] la ESCUELA PREPARATORIA "TEXCOCO" AUTONOMA DEL ESTADO DE MEXICO. Hac[illegible] SUAREZ SANCHEZ CLAUDIO en esta Institución del 1º hasta el 4[illegible] toria, en un horario de: --- a --- el semestre el día --- de --- el día --- de ---
Habiéndo obtenido las siguientes calific[illegible]

PRIMER SEMESTRE 85-86
LOGICA........ 6
TECNICAS DE LA INVESTIGACION I........ 7.
GEOGRAFIA........ 6.0
ANTROPOLOGIA........ 6.0
ETIMOLOGIAS GRECOLATINAS........ 6.0
TALLER DE LECTURA Y REDACCION I........ 6.5

SEGUNDO SEMESTRE 1987
MATEMATICAS I........ 8.0
TECNICAS DE LA INVESTIGACION II........ 6.5
BIOLOGIA I........ 6.0
HISTORIA UNIVERSAL........ 6.5
CORRIENTES FILOSOFICAS........ 6.0
TALLER DE LECTURA Y REDACCION II........ 7.0

TERCER SEMESTRE 88-89 87-88
MATEMATICAS II........ --
FISICA I........ 6.0
PSICOLOGIA I........ 6.0
HISTORIA DE MEXICO........ 6.0
E T I C A........ 7.0
TALLER DE LECTURA Y REDACCION III........ 6.0

CUARTO SEMESTRE 1988
MATEMATICAS III........ --
FISICA II........ 6.0
QUIMICA I........ 7.0
SOCIOLOGIA........ 7.0
INGLES I........ 7.5
INTRODUCCION A LA COMPUTACION........ --

Pendiente
Seis-cero
Seis-cero
Siete-cero
Seis-cero
Pendiente
Seis-cero
Siete-cero
Siete-cero
Siete-cinco
Pendiente

A petición del interesado y para los fines legales a que haya lugar, se extiende la PRESENTE CONSTANCIA en la Ciudad de Texcoco de Mora, Estado de México a 25 del mes de MAYO de 1989.

A T E N T A M E N T E
PATRIA, CIENCIA Y TRABAJO
EL DIRECTOR DE LA ESCUELA
GABRIEL JUAN FONSECA R

Pumas y nos dijo que daban en Ciudad Universitaria la oportunidad: 'Ustedes juegan bien'.

De ahí surge que los dos vayamos a probar suerte. Ir a Ciudad Universitaria desde Texcoco era una excursión, fácil nos pasábamos, de ida y vuelta cinco horas en autobús y micro, no había peseros.

Hugo Hernández nos hizo la prueba, entre cientos de chavos, los dos aprobamos. Sergio ya había jugado en Segunda División en Texcoco, pero no le pagaban así es que él se quedó y yo no por falta de dinero para los camiones, además iba por las mañanas a la escuela, tenía 14 años cumplidos.

Mientras tanto jugaba en Texcoco los jueves y sábados; los domingos me tocaban dos partidos a las 8 y para ese entonces, rondaba en los 16 años y todavía no ganaba dinero.

Para obtener algo de dinero empezamos a trabajar en un invernadero como jardineros; sólo por dos meses que era el periodo de vacaciones en la escuela. Sergio mi hermano, Ulises Patiño, amigo de la infancia y yo fuimos a pedir chamba al ingeniero Jaime Arana, con quien jugábamos.

Jaime Tagle dueño del 13 Negro se llevaba muy bien con el ingeniero Arana, lo buscaba para decirle: 'Te pido que no trabajen tanto, no me los canses'. Se jugaba los jueves a las cuatro de la tarde. Él le pedía al ingeniero Arana que no trabajáramos mucho sobre todo cuando eran finales. Nuestro horario era de siete de la mañana a seis de la tarde.

Un día un empleado, que era soldador y a quien ayudábamos estaba enojado porque no trabajábamos. Le explicaron que jugábamos futbol y que ese día era la Final. Como no nos creyó le pidió al ingeniero que lo invitara al partido. Ya en el juego cada que hacíamos una buena jugada, él nos gritaba: 'Esos son mis chalanes' y la gente no entendía por qué decía eso.

"No me había dicho a mí que se estaba yendo a Pumas; se iba como de pinta, ya no estaba acudiendo a la prepa porque estaba entrenado allá en Pumas, y dije: 'Deja que venga'"

Papá de Claudio

"Cuando Claudio estaba en la prepa estudiando no entraba a clases, entonces un día lo regañé fuerte: 'Tu hermano ya fracasó en el futbol, termina la preparatoria de perdida, vas a perder los estudios y a lo mejor no te dan nada'"

Papá de Claudio

Las fresas ▶

Página siguiente: **Irapuato de San Bernardino fue uno de los primeros equipos que ayudaron a Claudio a moldear sus cualidades técnicas y tácticas.**

ARMACIA DE
TEXCOCO

TLAPALERIA

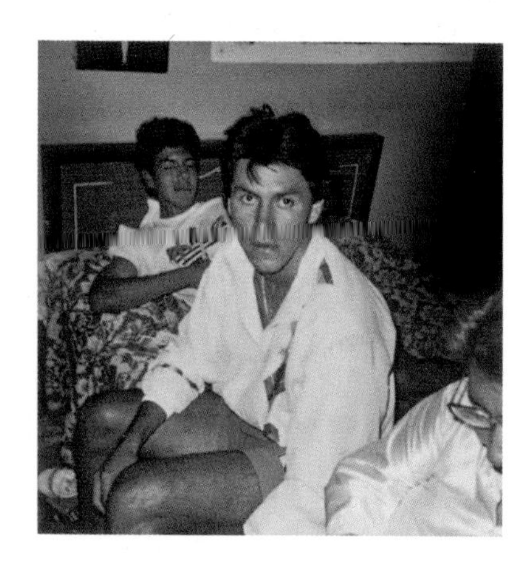

Bajo el mismo techo ▲

Claudio valoró siempre la convivencia con su familia a pesar de sus limitaciones económicas. Abajo, Juan Armenta (izquierda) tomó la decisión de darle la oportunidad a Claudio de que se probara en Reserva Central. En la foto lo acompaña Manuel Manzo.

Cuando Sergio se va a la filial de Segunda División de Pumas en Uruapan, después de tres torneos largos en Reserva Profesional, yo intento ir de nuevo a Pumas, pero antes lo hago en el Atlante.

Ahí hice la prueba y la pasé, pero después de dos meses me desesperé porque nunca me pidieron mis papeles para registrarme; no me tomó en serio Tomás 'Fumanchú' Reynoso. Más tarde, cuando jugaba en la Selección Nacional, el presidente del equipo José Antonio García se arrepentía: 'Cómo no te quedaste con los Potros' y le dije: 'Pues fue decisión de la gente que tenía en ese tiempo, estuve con ustedes'.

Pocas semanas después llegué a Ciudad Universitaria por medio de René mi hermano; él trabajaba en la casa club de Fuerzas Básicas de Pumas.

Él habló con el periodista Alfredo Ruiz, quien me recomendó con el entrenador Juan Armenta; el apoyo sirvió, pero finalmente lo que hice fue lo que me valió para que se fijaran en mí.

La prueba fue rápida porque desde el primer día hablaron bien de mí. Empecé a entrenar y estuve una semana con ellos, a la siguiente me pidieron mis papeles para registrarme con Reserva Central a cargo de Juan Armenta y Jorge Valtonrá".

"Las carencias que vivimos consistían en que no teníamos para el camión, ni para comer porque a mi papá no le pagaban bien; me tocó ir a Pumas ENEP y Sergio me decía: '¿Quién nos va a dar para los camiones?'"

José Luis, hermano

La llegada de Claudio a Pumas sería, en esta ocasión, el detonante en su carrera futbolística. Ya no miraría hacia atrás porque René, segundo de sus hermanos, hizo su parte para que esto ocurriera.

"A mí me contrató (Arnoldo) Levinson para cuidar la casa Club de los jugadores y hacer asuntos administrativos. Ahí conocí a Alfredo Ruiz, quien trabajaba para Pumas, él llevaba las estadísticas de los jugadores. Alfredo logró que Juan Armenta lo probara; le dije a Claudio: 'Ya te conseguí que vayas a Pumas, hay una oportunidad a lo mejor sí te quedas' y me respondió: 'No tengo zapatos'. Se los conseguí y fuimos. Ya en la cancha era importante que él destacara por sí mismo. Él era de los más altos y luego que lo vieron pidieron que fuera al otro día, sin asegurarle nada. No pasaron muchos días que le dijeron: 'Te quedas'".

Con un pie en Pumas la vida deportiva de Claudio tomó un rumbo diferente. A partir de que fue admitido en la organización las puertas de la gloria del futbol

Juntos otra vez ▶

Con motivo de la inauguración de la cancha municipal "Claudio Suárez", en Texcoco, los hermanos se reunieron para el gran festejo. Noé (de izquierda a derecha) Claudio, Juan Carlos, Javier, Sergio, René y Jesús.
Abajo, doña Francisca y don Vicente a las afueras del estadio de la Ciudad Universitaria, casa de los Pumas.

"Javier fue el que inició en el futbol, él fue el primer futbolista; después jaló a René, Sergio, José Luis, Claudio, Vicente, Jesús, Noé y a mí"

Juan Carlos, hermano

se encontraron frente a él. Tan sólo era necesario, para entrar, tomar la decisión de abrirlas con valor, sin miedo, con tenacidad, paciencia, determinación y coraje.

Además, pensar en equipo, cambiar hábitos y costumbres que le evitaran continuar el reto de trascender en el balompié mexicano e internacional. Claudio buscó con disciplina y encontró el camino hacia el triunfo.

"Juan Armenta dijo: 'Yo me llevo a Claudio porque me lo llevo'; él se aferró porque decía que le servía, él le vio algo; respetaron su decisión"

René, hermano

Cachorro de puma

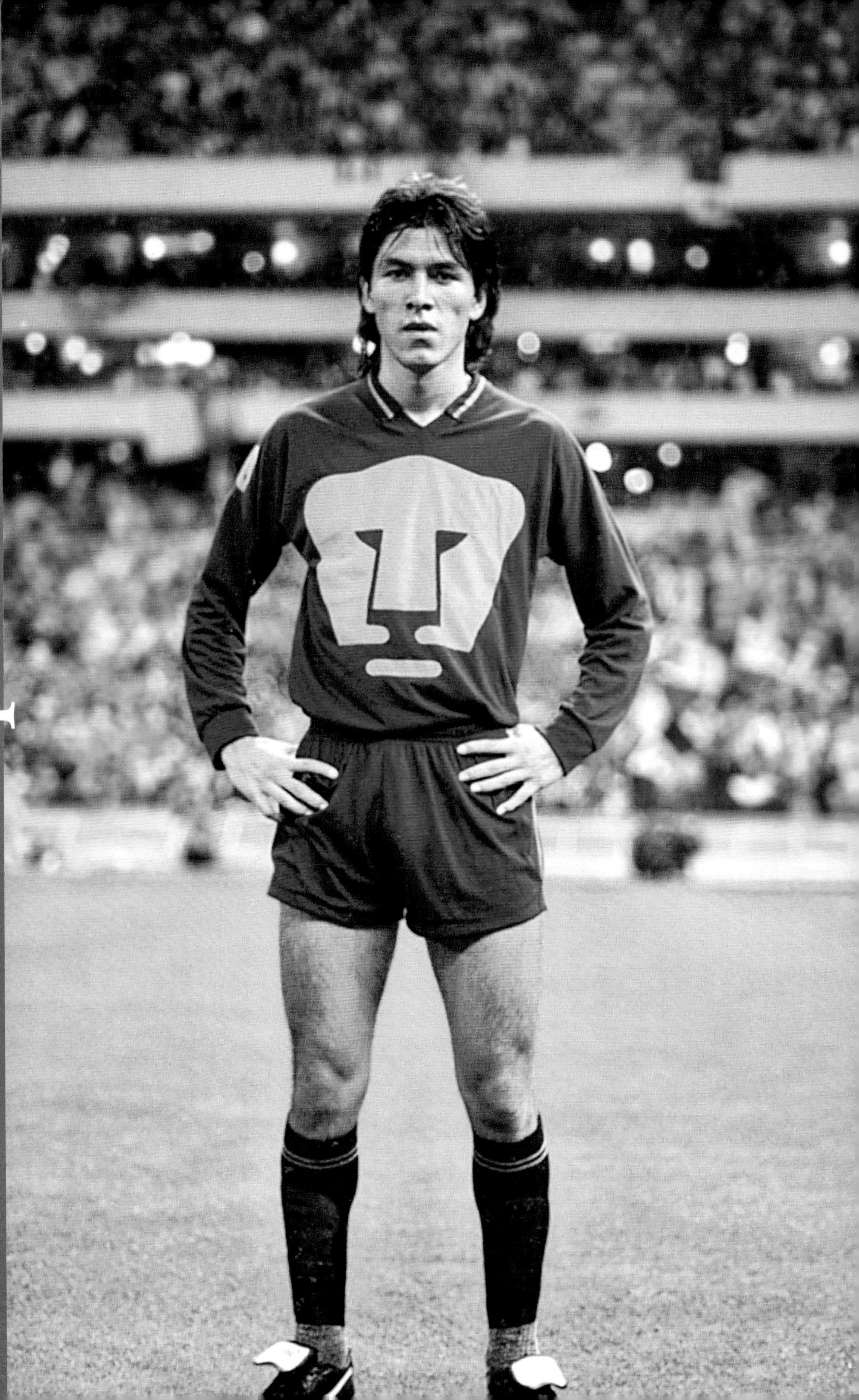

CAPÍTULO 2

El lugar indicado

"De entrada no me creían en la casa de que podía viajar, pero yo seguía entusiasmado y cuando se da mi primer viaje mis padres se emocionaron y hasta me dieron dinero"

Claudio

Aceptado en Pumas, la vida de Claudio tomó un cambio sin regreso.

Incorporado a una institución de renombre, en la forma ción de jugadores, fue una cara de la moneda. La otra estuvo en querer afrontar con decisión el reto, con buenas y malas; dar lo mejor de sí, costara lo que costara.

Pumas le ofreció la experiencia de la cantera, Claudio puso la herencia de hombres luchadores, disciplinados en el campo de batalla, duros de vencer y difícil de ver derrotados.

Su motor era resolver la necesidad económica que vivía con sus padres y hermanos. También lo movía la fuerza de dedicar su existencia al mundo del futbol.

Tan pronto el técnico Juan Armenta dijo: "Te quedas, trae mañana tus papeles para registrarte" la cara de Claudio se iluminó. Sin querer rompía, de alguna forma, el protocolo de ingreso a Pumas sin pasar por Fuerzas Básicas.

Claudio llegó en 1987 a un lugar envidiable. Desde ahí se podía ver de cerca al equipo de Primera División. Arribar directamente a Reserva Central le daba la posibilidad de hacer méritos para pasar a la Reserva Profesional y codearse, aunque fuera de vez en cuando, con los que ya salían en la televisión con la cara del puma en la playera: Adolfo Ríos, Alberto García Aspe, Germán Tello, Manolo Negrete, Miguel España, David Patiño, Antonio Torres Servín, Marcos Misdrahi, Enrique González, Abraham Nava, Luis García, Luis Flores, José Luis Salgado, Guillermo Vázquez, Ramón Raya, Horacio Macedo, Jesús Martínez y José Marroquín. Algunos de ellos casi de su edad, pero con la barba y el colmillo ligeramente más grande. Todos serían por años compañeros en triunfos y derrotas.

Con sus 18 años a cuestas recibió el primer apoyo de Armenta bajo la sugerencia de Hugo Hernández: "Ese muchacho que le dicen el 'Pájaro' tiene algo interesante, tiene presencia física, hay que verlo bien y seguirlo". Armenta quería ayudarlo a pesar de no cumplir con los requisitos de formación. Eran más fuertes las cualidades que apreciaba en Claudio que la sugerencia institucional en la búsqueda de jugadores.

Los de casa fueron cuestionados porque la metodología que usaban en la formación de jugadores podía ser más amplia y flexible de lo

Figura juvenil ◄

Claudio se consolidó como jugador profesional a finales de la década de los 80. Con Pumas logró su primer campeonato de Liga; con los universitarios aprendió a no ceder en la lucha y buscar a toda costa el triunfo.

que imaginaban. Los técnicos de Fuerzas Básicas en Pumas, que se las "sabían" de todas todas, tuvieron que aceptar, ante la insistencia "profética" de Armenta, que Claudio era harina de otro costal, algo así como oro molido.

Allá en Texcoco, en el llano y de manera silvestre, Claudio había tenido el crecimiento suficiente para buscar a Pumas que presumía tener, en el País, los adelantos más significativos en materia del desarrollo de jugadores.

Claudio por su parte nunca negó que necesitaba, para consolidar su paso por el futbol, de una sacudida en su nostalgia y prácticas pueblerinas. Se puso a trabajar bajo las órdenes de Armenta, quien le exigió vivir como un guerrero: filosofía indispensable para superar todas las deficiencias, mirar de frente el triunfo y obtenerlo.

A la ofensiva ▲

Claudio llegó a Pumas como delantero para más tarde ser ubicado en la defensa central; posición que nadie le arrebataría.

"Juan Armenta, que en paz descanse, era el entrenador. Le caí muy bien desde que llegué a probarme. Él me bromeaba mucho porque me decía que iba a ser mejor que Hugo Sánchez. En Pumas me encontraron un gran parecido, por mi forma de peinarme, con Jaime Pajarito, quien jugaba para Chivas o Atlas, por eso me pusieron el apodo del 'Pájaro'.

Le dije que jugaba de mediocampista y me respondió: 'No, no, no, te voy a poner de delantero'. Entonces yo empecé a hacer goles y goles. En el tercer equipo de Pumas me mostré, estuve como un año así; yo no sabía la magnitud del futbol.

En ese entonces se hacía el torneo que le llamaban de Reservas, era regional y nosotros competíamos en el mismo torneo de la Reserva Profesional, representábamos al Atlas.

"El dueño de Tacos Inn me regaló unos zapatos de futbol cuando jugaba en Reserva Profesional, yo le dije: 'Se los voy a pagar un día', pero ya no lo vi, quedé en deuda con él"

Claudio

Cuando Atlas iba al DF, nosotros jugábamos el preliminar, pero venía América-Atlas y nosotros jugábamos contra el América con la playera de Pumas y cuando iba con Pumas nos enfrentábamos a la misma Reserva de la universidad; en ese torneo quedamos arriba de ellos, en mejor posición en la Tabla General.

Salía de la casa de Texcoco entre cinco y media y seis de la mañana para llegar a las ocho treinta al campo de entrenamiento en CU. Para ese entonces estaba en la prepa y asistía a la escuela por la tarde.

Llegaba a clases a las tres, porque a esa hora empezaba, salía como a las nueve de la noche. Comía en la escuela una torta y luego llegaba a la casa y devoraba lo que podía.

Mi mamá, no tanto mi papá, me decía que ya dejara eso porque tenía también urgencia de mis hermanos; como no les había ido bien me decían: 'Dedícate a la escuela y deja el futbol' repetía. Ella de plano no hallaba de dónde sacar dinero, pero de repente conseguía y me daba para los pasajes. En ese tiempo aprovechaba para jugar los jueves en la Liga en Texcoco con el equipo COM, el dueño se llamaba Refugio 'Cuco' Cantú. El dueño me pagaba y eso me ayudaba para los pasajes. Cuando jugaba los sábados con Pumas tenía chance de jugar los domingos por mi casa con Irapuato de San Bernardino, el dueño era don Lorenzo y también con el equipo de la SAHOP, uno de los dueños era Alfredo Peralta; me aventaba dos juegos, me acuerdo que me daban 50 pesos por partido; en Reservas Central no me pagaban.

"Para mí es un jugador que ha marcado diferencia en la historia del futbol mexicano; es inmensamente grande que difícilmente lo podrán superar: él es entrega y profesionalismo"

Israel López

Jugador de futbol

Armenta me dio dinero algunas veces: 'Cómprese una torta' y quedé en deuda con él. Siempre me decía: 'Cuando seas famoso me vas a invitar una barbacoa', le contestaba: 'Sí profe, lo que quiera', porque en Texcoco es tradicional esa comida. Varias veces me dijo: 'Invítame a comer allá' con la pena le contestaba: 'Pues profe mis papás no tienen dinero, pero en cuanto tenga'. Luego él me daba algo para comer y me regalaba un poquito más para los pasajes.

Después me di cuenta de que había una casa Club en donde me podía quedar, no sé por qué desde el principio no me la ofrecieron.

Había en la casa Club una señora que daba de comer a toda la Reserva Profesional; también algunos de mis compañeros de la Reserva Central comían ahí, pero yo no tenía derecho y no me la daban, me la negaban.

Poco a poco me fui haciendo amistad con mis compañeros de equipo. Ignacio Morales y Armando Mejía

Dominio del balón ▶

Claudio demostró al llegar a Pumas capacidad y habilidad para controlar las circunstancias.

eran contemporáneos de mi hermano Sergio, ellos vivían en la casa Club y me decían: 'Vente a comer acá'.

La señora encargada de preparar los alimentos era muy buena gente, se llamaba Gloria. Ella sin autorización me daba de comer, a veces se la quería pagar y no me aceptaba hasta que finalmente, Juan Armenta autorizó la comida. Era una ganancia porque ya por lo menos iba a la escuela con algo en el estómago aunque fuera a las carreras, pero comido".

Síntomas de desaliento

Perseveró con Reserva Central más de 12 meses antes de sentir los primeros aires del cansancio. El ánimo de Claudio disminuyó luego de no tener respuesta como la esperaba. Mostraba signos vitales de paciencia, pero de vez en cuando se asomaban las preguntas, las dudas, los inconvenientes de seguir en un lugar que no le reportaba dividendos.

La presión de la casa la sentía de dos maneras: la primera lo que sus ojos y sentimientos percibían de una realidad llena de necesidades; la segunda de doña Francisca, quien le exhortaba, con amor de madre, a que buscara otros lugares en donde realizarse y ayudar a sus hermanos.

Lucha por un lugar ▲

Los primeros compañeros de Claudio le tuvieron celos porque veían en él un jugador con muchas cualidades.

"En mi carrera de más de 27 años en el futbol he visto a miles de jugadores, al que más quiero y admiro es a Claudio"

Hugo Hernández

Técnico de futbol

"Me levantaba muy temprano para ir a Ciudad Universitaria; no faltaba a los entrenamientos. Así estuve un buen rato y después de un año me entró un momento de cansancio y desesperación. Me ponía a pensar: 'Para lo que me pagan', y yo mismo respondía: 'Nada'. Al inicio de la semana sólo hacíamos trabajo físico. Eran los lunes cuando corríamos en el Bosque del Pedregal y yo le decía al profe Armenta que mejor corría en mi pueblo, allá en Texcoco porque si algo sobraba por aquellos rumbos era espacio. Porque viajar hasta allá era gastar dinero y a veces no tenía ni para el pasaje; él comprendía y a veces me daba permiso de no ir con la condición de que corriera en Texcoco.

En la escuela me empezó a ir mal, de hecho la primera materia que era computación la reprobé porque llegaba casi a las cuatro de la tarde. Luego reprobé otra y llegó un momento que en las últimas dos clases ya me vencía el sueño y ya no me entraba nada, ya nomás estaba ahí; mejor me salía y me iba para mi casa a dormir.

Recuerdo que empecé a dudar y la presión de mis papás se combinaba entre no desilusionarme y en decirme lo que sentían de corazón con respecto a mi futuro en el futbol y lo que estábamos pasando en casa. Creo que ahí me estaba dando por vencido, se me estaba complicando. Por muy bonito que era el futbol ya no le veía un porvenir.

Ver que en la casa se necesitaba una entrada de dinero, a lo mejor no para mí sino para las necesidades de mis hermanos, me hacía pensar que estaba perdiendo el tiempo. La verdad yo no tenía claro la magnitud del futbol y que con trabajo y dedicación me podía ir bien en lo económico".

Doña Francisca insistía en que Claudio cambiara de parecer aunque con prudencia mantenía cuidado al no herir sus ilusiones. Ella creía tener razón porque dos hijos mayores habían invertido tiempo en sueños futbolísticos que no llegaron a buen puerto.

"Yo creo que muchos jugadores tienen la oportunidad de hacer bien las cosas, pero les da miedo aceptar la responsabilidad de ser grandes"

Claudio

"Cuando yo veía a Claudio cansado le decía: 'Ya deja eso, no tengo ni para los camiones para darte' y él contestaba: 'No te preocupes, me voy corriendo de aquí a Chapingo y agarro el camión, me voy hasta CU, a ver cómo, pero tengo que llegar'.

Luego había unas personitas que me prestaban dinero para los camiones porque veía a mi hijo con el hambre y le ponía tortas con plátano o tortas de frijolitos con huevitos y le decía: 'Pues vete para el camión' y luego con tanto entrenamiento allá y se venía desde Chapingo caminando. Yo lo veía muy sonriente y le decía: 'Tú dices si sigues o qué' y contestaba: 'Yo sigo'".

El primer viaje ▼

Claudio Suárez en campo francés, al tiempo de participar en su primer torneo internacional, en Toulón, Francia.

Cambio de rumbo

¿Era el fin de la carrera futbolística de Claudio?. Así se veían las cosas: la escuela descuidada, la situación económica en casa cada vez más difícil, los dolores visibles en la cara de doña Francisca, la presión familiar y sobre todo la presencia del desánimo, un "gusano" que carcome lentamente las poderosas fibras de la motivación.

Pero antes de que todo se derrumbara, un viento ligero sopló, en el tiempo y espacio indicado, a favor de la tenacidad de Claudio. Un detalle, sólo uno, fue el enganche definitivo, el que sería a la postre algo así como el gol del triunfo en el último minuto de juego.

"Casi terminado el mes de mayo del 1988 llegó el premio a mi entusiasmo. Iba a haber un torneo a Toulón, Francia. A Pumas le dieron la oportunidad de representar a México porque no había dinero para enviar al representativo nacional juvenil. Casi todo el dinero se daba a la Selección grande.

Entonces a mí y algunos compañeros más nos subieron a una selección de Reserva Profesional. El profe Armenta, acompañado de Hugo

Hernández, quien era su auxiliar, fueron los que me eligieron. Allí estuve con la inquietud de que si iba o no al viaje.

Como no les caía bien a los de Reservas Profesional, me hacían la vida imposible. Decían los compañeros que no me iban a dejar debutar, era un ambiente muy pesado. Dije: 'No creo, estoy verde', pero yo seguía echándole ganas.

Unos días antes del viaje a Toulón, los técnicos la hicieron de emoción. Nos dijeron: 'Entrenamos en Ciudad Universitaria en la cancha Dos, la que está arriba'. Al finalizar el entrenamiento dice el profe Armenta: 'Vamos a dar la lista de los jugadores que van al viaje, la lista está pegada en el vestidor, ja,ja,ja,ja'. Salimos todos corriendo desde la cancha Dos, efectivamente la lista estaba en una de las puertas, para mi gran sorpresa y felicidad, mí nombre lo habían puesto. Estaba bien emocionado, eso me levantó el ánimo aunque varios de mis amigos se quedaron.

Creo que ahí empieza a nacer la ilusión, porque en casa ya ven algo real que al principio pensaron que era lo mismo de mis hermanos.

Mis padres y hermanos se entusiasmaron; de hecho toda la familia me fue a despedir al aeropuerto, mis hermanos consiguieron un carro prestado con uno de nuestros amigos; fue todo un acontecimiento.

Nunca había viajado en avión, iba entre espantado y maravillado de todo. A mí se me salieron las lágrimas. Mi mamá pidió prestado y me dio dinero, no me podía dejar ir sin unos pesos en la bolsa.

Allá casi ni jugué, sólo un partido completo: medio y medio en amistosos y 20 minutos en el torneo. Tuvimos de rivales a Inglaterra, Marruecos y la URSS. Nos fue muy mal, sólo ganamos a Marruecos, estuvo dura la competencia; prácticamente con ese viaje el doctor Miguel Mejía Barón me integró a la Reserva Profesional, ahí subo de categoría.

Internacional de nuevo ▲

Claudio no desaprovecharía su convocatoria a Viareggio, Italia para continuar con su consolidación en la escuadra puma.

Abajo, el representativo juvenil de la UNAM, del cual sólo perseveraron Luis García, Antonio Noriega, Roberto Medina y Antonio Torres Servín.

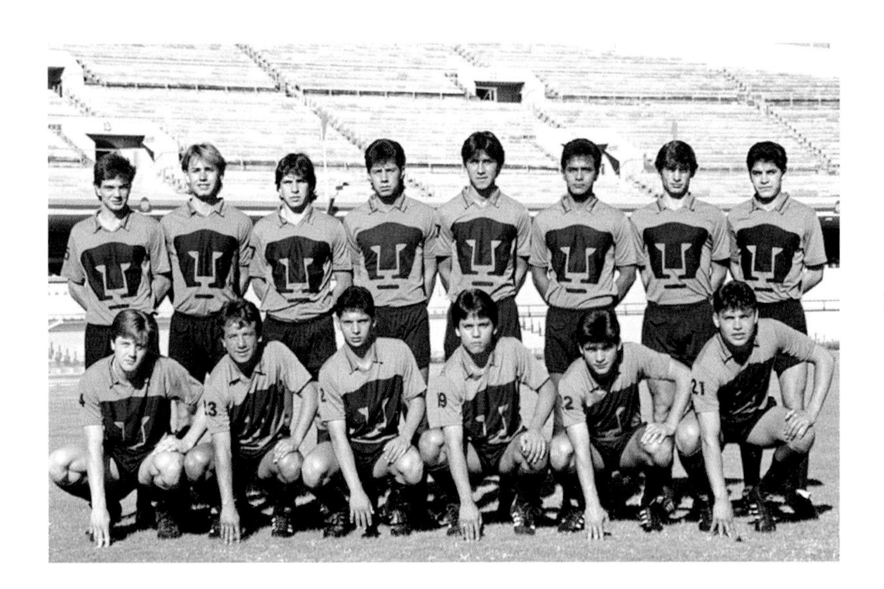

"Yo creo que Claudio siempre fue un cuate muy maduro, parecía que llevaba muchos juegos jugados cuando era un novato; muy seguro de sí mismo y sobrio, hasta simpático"

Antonio "Tato" Noriega

Ex jugador de futbol

En ese entonces ya estaba en segundo año para pasar a tercero de prepa; había reprobado un semestre antes de ingresar a Pumas, en 1986. Me volaron en el segundo semestre de la preparatoria, esto me sucedió cuando me fui a probar al Atlante y trabajé en el invernadero con el ingeniero Jaime Arana.

En la escuela pedí permiso a los maestros, algunos de ellos me lo negaron porque creían que era cuento 'o la escuela o el futbol'. Uno de ellos dijo: 'Cuando seas famoso me vienes a ver' y le contesté: 'Cuando sea famoso ya no lo voy a ver, ya para qué'. Otros les daba gusto: 'Sí, vete, los exámenes después' y unos más comentaban: 'Complicadón, complicadón', me fui y regresé feliz. Aquí fue cuando finalizó el cuarto semestre y reprobé dos materias porque el maestro de computación no me dio permiso para presentar el examen después, él fue el que me dijo que cuando fuera famoso lo fuera a ver. Matemáticas III era la otra materia que ya la traía arrastrada desde el semestre anterior.

Luego viene otro viaje, ahora a Viareggio, Italia; eso fue en enero-febrero de 1989. Jugamos en el torneo Coppa Carnevale. Voy a pedir otra vez permiso a la escuela, con la aprobación de mi mamá".

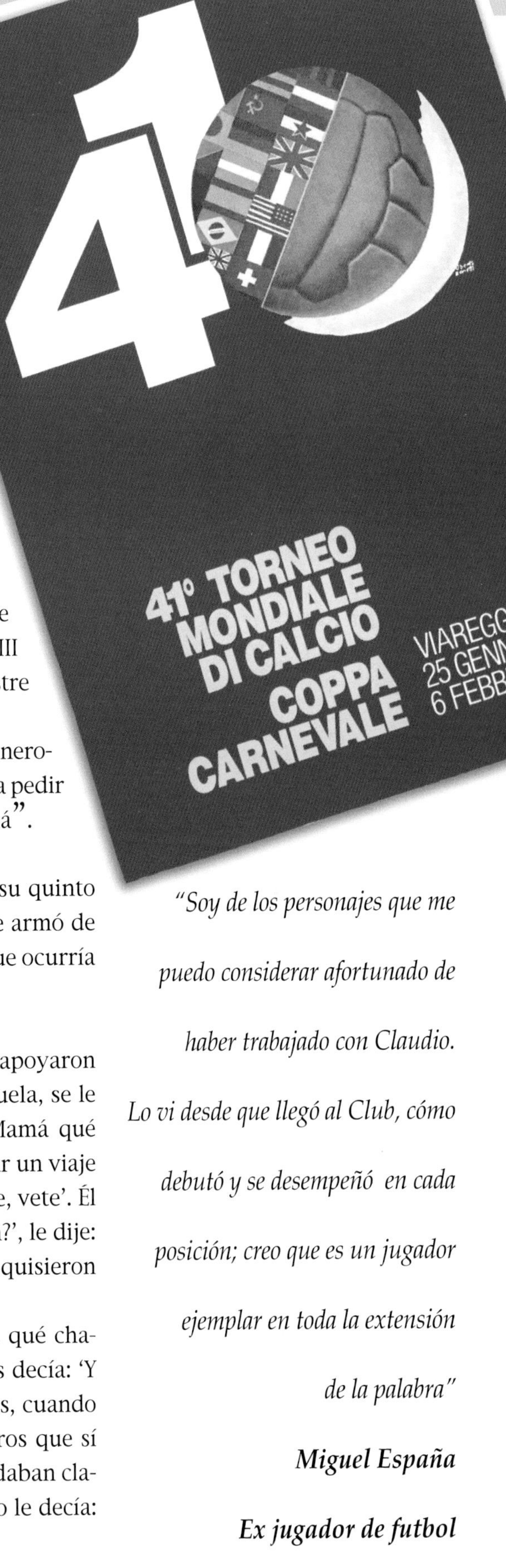

Ante otra sorpresa doña Francisca salió a la defensa de su quinto hijo quien tenía otra oportunidad de viajar al extranjero. Se armó de valor y mantuvo ante él una actitud de apoyo a pesar de lo que ocurría en la preparatoria.

"'Tú échale ganas' le decía a Claudio. Los maestros no le apoyaron porque aseguraban: 'No, no, si se va se le acaba aquí la escuela, se le suspende, nosotros ya no lo queremos' y él respondía: 'Mamá qué hago'. No dudaba nada: '¿Sabes qué? vete, quién te va a pagar un viaje de esos, nadie; en la vida yo no te lo voy a costear, de dónde, vete'. Él un poco preocupado me preguntaba: '¿Y si ya no me reciben?', le dije: 'Pues ya no te reciben, de todos modos los maestros ya no quisieron darte permiso', entonces ya no lo aceptaron.

Algunos profesores no le creían: 'Su futbol o la escuela, qué chamaco más mentiroso'. En Pumas le dieron una carta y él les decía: 'Y ésta carta ¿qué?, no más quiero que me den permiso 20 días, cuando venga me pongo al corriente de los estudios'. Hubo maestros que sí comprendieron: 'Vete Claudio, sí vete', pero eran los que le daban clases; el director no quiso: 'Se va de aquí' y se fue en 1989. Yo le decía: 'Que sea tu futbol, a ver qué sale'".

"Soy de los personajes que me puedo considerar afortunado de haber trabajado con Claudio. Lo vi desde que llegó al Club, cómo debutó y se desempeñó en cada posición; creo que es un jugador ejemplar en toda la extensión de la palabra"

Miguel España

Ex jugador de futbol

Césped en toda la cancha

Su llegada al equipo profesional de Pumas fue similar al día que nació: muy pocos se dieron cuenta y no hubo tambores ni trompetas. Era tan sólo un joven vestido con el uniforme y alborotado con sueños e ilusiones.

Había pasado por Reserva Central sin ganar un peso y en Reserva Profesional aunque fueran pocos. En casa generaba gastos, pero los hacían más soportables porque no dejaba de jugar en Texcoco los jueves y de vez en cuando los sábados y domingos en el mismo llano.

Sus condiciones atléticas le daban fuerza para alternar en terrenos pedregosos del Estado de México y en los del pedregal de San Ángel en el Distrito Federal. Lo hacía para obtener dinero y dejar la vela prendida, no fuera a ser que se le apagara.

"A Viareggio, Italia íbamos como Pumas porque a Toulón, Francia jugamos con la playera de la Selección. Recuerdo que le dieron el equipo a Mario Velarde, que en paz descanse. Él nos entrenaba cuando le ofrecieron la oportunidad en Cruz Azul; deja el equipo y lo toma Guillermo Vázquez, quien nos llevó como técnico a Viareggio, Juan Armenta iba de asistente.

Cuando estaba en Reserva Profesional me ofrecían en Texcoco dinero por jugar los jueves y domingos con el Irapuato de San Bernardino y en el COM. Ahí me pagaban 50 pesos por partido, mi sueldo era de 100 pesos a la semana; en Pumas me daban 100 pesos a la quincena y ya estaba casi en Primera División. Si podía me iba a jugar con estos señores y me ayudaban, en Pumas ni se enteraban.

Inseparables

Claudio se identificó desde su llegada a Pumas con Juan de Dios Ramírez Perales (izquierda) y con Jorge Campos con quienes iría al Mundial del 94.

Abajo, el registro de Claudio llevado por Ricardo Ferretti donde seguía el rendimiento de sus jugadores.

"Era muy dedicado y siempre se brindó dando el máximo esfuerzo; creo que es la combinación perfecta"

Jorge Valtonrá

Técnico de futbol

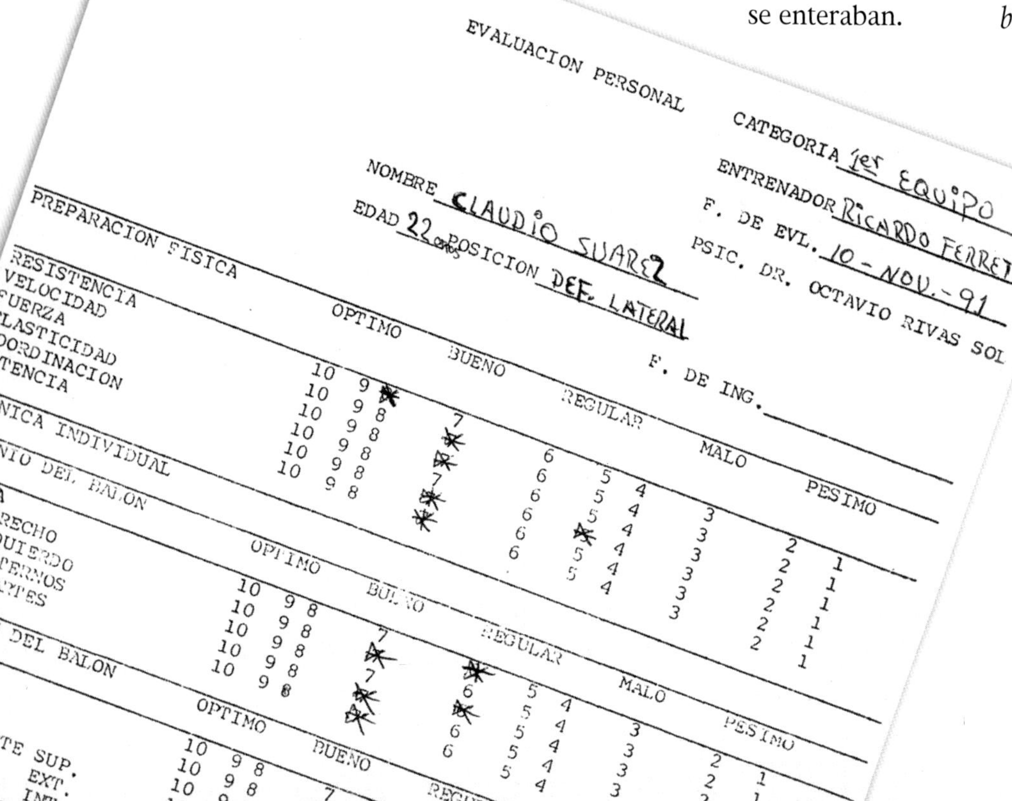

EVALUACION PERSONAL

CATEGORIA 1er EQUIPO

ENTRENADOR RICARDO FERRETI

F. DE EVL. 10-NOV-91

PSIC. DR. OCTAVIO RIVAS SOL

NOMBRE CLAUDIO SUAREZ

EDAD 22 años POSICION DEF. LATERAL

F. DE ING.

PREPARACION FISICA — OPTIMO / BUENO / REGULAR / MALO / PESIMO

RESISTENCIA
VELOCIDAD
FUERZA
ELASTICIDAD
COORDINACION
POTENCIA

TECNICA INDIVIDUAL — OPTIMO / BUENO / REGULAR / MALO / PESIMO

DOMINIO DEL BALON
...ZA
DERECHO
IZQUIERDO
INTERNOS
PARTES

...ON DEL BALON — OPTIMO / BUENO / REGULAR / MALO / PESIMO

PARTE SUP.
" EXT.
" INT.

La dinámica en la que me movía era que entrenaba con el primer equipo y el fin de semana bajaba a entrenar y jugar con la Reserva Profesional. Antes era muy marcada la categoría y peso de los jugadores de experiencia sobre los novatos.

En los entrenamientos e interescuadras muchas veces era el suplente y durante el juego me daban patadas, trancazos, pero yo no les reclamaba porque esperaba una oportunidad. Me quedaba callado, pero seguía entrenando, les entraba fuerte y me daban con los zapatos.

Una vez Antonio Torres Servín vio que Memo Vázquez y Alberto García Aspe me entraban fuerte en un ejercicio de espacios reducidos. De repente Antonio se le aventó a Memo porque de un codazo en la nariz me sacó la sangre, se iban a agarrar a trancazos; sí, él me defendió. Miguel (Mejía Barón) se paró, les llamó la atención y de hecho cambió de ejercicio. Ellos se fueron dando cuenta de mis deseos por hacer bien las cosas, sin temor. Después con Memo empecé a hacer una buena amistad tanto así que llegó a defenderme en otras ocasiones.

Todos los golpes los tomas como pruebas de que no te desesperas".

Debut desapercibido

La presencia de Claudio en Pumas estuvo acompañada por el irresistible espíritu del anonimato.

Nada pasó cuando se le incorporó al primer equipo. No hubo el más mínimo ruido para avisar a los aficionados que llegaba a las filas universitarias un jugador, que a la postre, sería considerado entre los

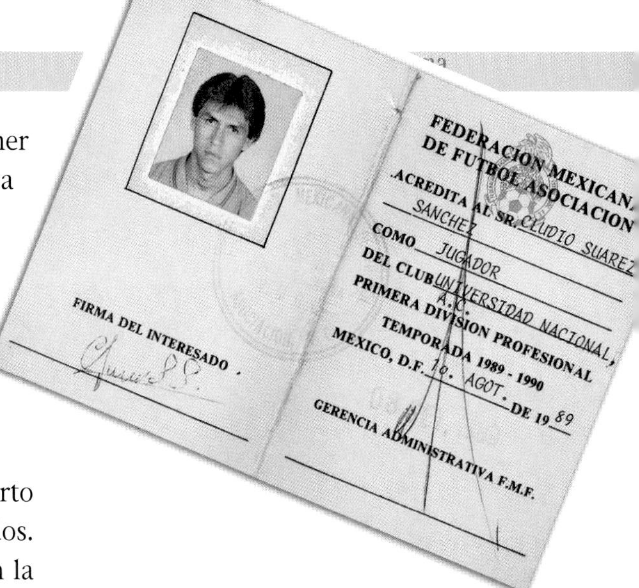

FEDERACION MEXICAN
DE FUTBOL ASOCIACION
ACREDITA AL SR. CLUDIO SUAREZ SANCHEZ
COMO JUGADOR
DEL CLUB UNIVERSIDAD NACIONAL, A.C.
PRIMERA DIVISION PROFESIONAL
TEMPORADA 1989 - 1990
MEXICO, D.F. 10. AGOT. DE 1989
GERENCIA ADMINISTRATIVA F.M.F.

FIRMA DEL INTERESADO.

Falta mecanográfica ▲

A Claudio le fue entregada su acreditación, para su segunda temporada con Pumas, bajo el nombre de Cludio. Abajo, Claudio marca en las alturas a Carlos Hermosillo en Ciudad Universitaria.

"Si no me hubiera preparado para jugar fubol hubiera dejado ir la gran oportunidad de mi vida"

Claudio

futbolistas grandes que han surgido en balompié mexicano.

Cuando se vistió con la playera de la Reserva Central se le vio como un joven con ciertas aptitudes, pero bajo la consigna de no perderlo de vista. Tan pronto se integró a la Reserva Profesional en 1988, los pronósticos fueron alentadores, pero nada del otro mundo a pesar de que los tiempos de maduración los cumplía con extremada rapidez.

Recién se estrenó Miguel Mejía Barón como técnico en jefe de la institución, le dio a Claudio la oportunidad de alternar con los Pumas de altura.

Se le observó como un delantero prometedor sin que fuera motivo suficiente para invitarlo a la foto oficial del equipo en la Liga 1988-89; todos menos él salieron en la del recuerdo: bañados, talqueados y peinados.

Antes de estrenarse en las canchas enmarcadas por tribunas majestuosas, las ilusiones, sueños, bendiciones y buenos propósitos le fueron enviados desde Texcoco hasta la UNAM. Los padres y hermanos prendieron los cirios para que Claudio permaneciera en el camino que buscaba desde niño con perseverancia, que no sólo fuera el orgullo de la familia y de los vecinos de la cuadra, sino de todos los aficionados al futbol en México.

De pierna a pierna ▲

Una de las cualidades de Claudio fue pelear la pelota en cada espacio de la cancha. Jaime Ordiales de Chivas corresponde con la misma fuerza.

Un día antes que iniciara la Jornada 30 de la temporada 88-89, Claudio recibió la noticia de que viajaría a Morelia con la probabilidad de debutar. Así sucedió el 23 de abril del 89, justo a los 20 años de edad. Jugó en sustitución de Marcos Misdrahi no más de 14 minutos, sin que la prensa se detuviera a considerar al joven talento: ni fu, ni fa.

Continuó en la alineación de Mejía Barón cuatro partidos más con resultados nada sorprendentes: con su presencia en el ataque los Pumas empataron ante la U. de Nuevo León y Tampico Madero; sufrieron derrotas ante Atlético Morelia, Guadalajara y la Universidad de Guadalajara. No conoció en esa temporada la emoción del triunfo con la escuadra que un torneo antes había quedado subcampeón. Ya de lleno con el primer equipo, Claudio siguió con el sello de "joven promesa".

"Vi a jugadores con grandes cualidades que les daban la oportunidad y no la aprovechaban, se conformaban con estar cerca de figurar"

Claudio

Muy lejos estaba de contarse entre las figuras del 89-90. Ahora sí salía en la foto oficial. Pero en ese entonces la conversación obligada era hablar de Jorge Campos, Abraham Nava, Luis García, Guillermo Vázquez, Miguel España, Juan Carlos Vera, David Patiño, Manolo Negrete, Juan de Dios Ramírez Perales, Adolfo Ríos, Roberto Medina, Israel Castillo, Marcos Misdrahi, Antonio Torres Servín, José Luis Salgado, Alberto García Aspe, Sergio Bernal, Constantino López y Enrique

González. Algunos de ellos buscaron su amistad, otros, con la mayor tranquilidad y con la mano en la cintura, lo ignoraron.

De las 38 jornadas, Claudio sólo tuvo actividad en ocho completas y 10 de cambio. En este torneo las redes no lo conocieron, pero hablaron de él como un prometedor joven puma, dinámico, con pases para gol y con deseos de consolidarse en la posición que fuera, excepto de portero. El poder ofensivo de los universitarios se afianzó en el tercer sitio general. Aunque no le sirvió para seguir en la Liguilla, a Claudio sí porque tuvo la oportunidad de mostrarse con un gran futuro.

El nuevo Campeón

Claudio recordó, poco antes de recibir la oportunidad más grande de su vida deportiva, que nunca fue el más técnico, ni el mejor dotado entre sus hermanos. También no olvidó que poseía virtudes que combinadas con sus recursos físicos podía superar debilidades y dar más de lo que esperaban de él.

"En el campeonato 90-91 fue cuando le dieron en Pumas un coche; al poco tiempo lo chocó"

Irma, esposa de Claudio

El campeonato 90-91 fue la perilla que abrió la puerta de las oportunidades. Él junto con otros jóvenes de su generación ofrecieron, a Miguel Mejía Barón, un tributo de obediencia, disciplina, sed de triunfo, lucha, hambre por ser alguien en la vida y capacidad de servir, virtudes que se vieron reflejadas durante todo el torneo.

Los tiempos de prueba habían pasado. Salieron de Pumas: Manolo Negrete, Adolfo Ríos, José Luis Salgado y Guillermo Vázquez; regresó, después de cinco años de ausencia, Ricardo "Tuca" Ferretti, quien anotó el gol del triunfo en la Final ante el América. Llegaron como un amuleto José Antonio Noriega y Jorge Santillana.

Presagio de algo grande ▼

Claudio en su primer partido ante Santos en el Estadio Azteca en la temporada 90-91.

Claudio gozó a su manera ser campeón de Liga. Participó en 34 de 38 jornadas (33 completas y una de cambio); anotó tres goles (Universidad de Guadalajara, Atlético Morelia y Necaxa) y recibió su primera expulsión con tres juegos de castigo.

"Yo tenía incertidumbre de si Miguel Mejía Barón me iba a utilizar desde el principio. Había trabajado muy duro para obtener esa oportunidad. Desde la Jornada 1 estuve en la alineación. Recuerdo que fue en el Azteca porque CU estaba vetado. Le ganamos a Santos 1-0. Desde ahí me quedé como titular.

Debo reconocer que no era un jugador indispensable porque las figuras eran Juan Carlos Vera, Ricardo Ferretti, Miguel España, Alberto García Aspe, Abraham Nava y Jorge Campos: ellos eran gente de mayor experiencia que movían al equipo.

Reencuentro ▲

Miguel Mejía Barón debutó a Claudio en 1989. En ese entonces le dio la oportunidad de convertirse en el mejor defensa central de México en los últimos 100 años. Abajo, Claudio evita la tacleada de Humberto Romero "Romerito", de Toros Neza.

Yo fui un complemento. De hecho no tenía mucha relación con ellos, me movía aparte. Después me enteraba que hacían entre ellos reuniones a las que no me invitaban y nunca supe por qué. Para mí no era problema porque prácticamente me la pasaba con Irma, quien es hoy mi esposa.

Mis cuates eran Ramírez Perales, Antonio Torres Servín, Jorge Campos y Abraham Nava. En Pumas había dos grupos: los güeritos y los morenitos y yo ni con uno ni con otro porque me iba a Texcoco o con mi novia; casi no tenía mucha convivencia, pero ya en la concentración me reunía con los morenitos.

Muchos estuvieron juntos en la generación de Fuerzas Básicas y yo era como un invitado que no venía de ninguna generación. No me sentía parte de ningún grupo.

De la Reserva Central donde jugué ninguno llegó, sólo yo. De hecho Miguel Salas subió a la Reserva Profesional, pero él se fue perdiendo. Todos los que estaban en Reserva Profesional casi no me aceptaban, ellos hacían su grupito. El que nos jalaba era Jorge Campos, quien se juntaba con Abraham Nava.

Del grupo de los güeritos me llevé muy bien con Marcos Misdrahi, de hecho hasta me compró ropa. En una ocasión viajamos a Estados Unidos y cuando fuimos a las tiendas yo nomás veía los aparadores y me dice: 'Escoge un pantalón y una camisa, yo lo pago'. Él sí se portaba muy bien conmigo.

A quien sentía medio mala onda era a Miguel España, pero después comprendí que era el de experiencia y el capitán. Finalmente él tenía que ver por el equipo y todos los consejos que me dio me sirvieron tanto para el futbol como para mi vida.

Al principio había una barrera; el mismo Luis García era más seco y luego hubo una mejor comunicación con él. Estaba José Antonio 'Tato' Noriega, quien venía de la generación de la Reserva Profesional, él siempre fue a todo dar. Poco a poco me fui ganando el respeto de ellos, me hacían menos bromas.

"Claudio es un tipo que tiene un gran conocimiento táctico del juego. Es un hombre muy disciplinado, tiene una gran técnica"

Miguel Mejía Barón

Técnico de futbol

Papelito habla

Miguel Mejía Barón le escribió en 1990 una carta a Claudio. En ella le dice que tiene todo un futuro por descubrir. Le exhorta a perseverar en la sencillez para alcanzar alturas insospechadas.
Página siguiente: El Campeón... Una sensación que cambiaría su vida. Arriba, Miguel España (de izquierda a derecha), Claudio, Jorge Campos, Abraham Nava, Juan de Dios Ramírez Perales, Ricardo Ferretti. Abajo, Antonio Torres Servín, Alberto García Aspe, David Patiño, Juan Carlos Vera y Luis García.

"Me bromeaban que no tenía un peso en la bolsa, pero eso sí, con carro nuevo"

Claudio

Miguel Mejía Barón tuvo un conflicto en ese torneo porque el equipo estaba medio dividido. Hubo reuniones con 'Tuca' Ferretti, quien tenía toda la autoridad, él hacía y deshacía. Miguel nos decía que no importaba qué tipo de relación hubiera entre nosotros, sino que ya en la cancha teníamos que meter todo a favor de todos.

Miguel insistía que quien estuviera en mejor posición debía tener la pelota, eso evitó conflictos de que los cuates no se la dieran a los cuates. Después entendimos que éramos un equipo y que todos dependíamos de los demás: ésa fue la clave que ganó el campeonato.

Fue una temporada muy buena, hicimos un gran papel: tuvimos 55 puntos, metimos 67 goles y recibimos 30. En Pumas le daban confianza a los jugadores, a lo mejor era por ahorrar dinero, pero funcionaba. Todos dormíamos en nuestras casas y llegábamos al estadio dos horas antes del juego, no había concentraciones; en la Liguilla todo cambiaba.

En el transcurso de la temporada, que eran muy largas, me expulsaron ante el Querétaro. En ese juego también a Óscar Ressano y a Miguel España. Nos vimos muy mal, perdimos 4-2. Mejía Barón no viajó, pero después nos juntó y nos habló muy fuerte. El equipo volvió a levantar y prácticamente 'robó' en el campeonato.

Cuando llegamos a la Final estaba contento. Cuando Arturo Brizio pitó la finalización del encuentro corrí y grité junto con todos. Yo volteaba hacia donde estaban mis familiares y mi novia, quien después sería mi esposa.

La verdad estaba emocionado, pero no tanto, como que sentía que era algo normal salir campeón. Lógico, los méritos se los llevaron los jugadores de experiencia. Recuerdo que en la fiesta, para celebrar el título, no me dejaban pasar porque no me conocían todavía los empleados. Estuve un rato con mi familia y nos retiramos. Más bien todo esto lo festejaba en casa.

Ya después empezaron a venir los reconocimientos de la directiva, premios, detalles y una carta de felicitación. Nos invitaron a un programa de televisión. Estuvo Juan Hernández y Carlos Miloc del América; de Pumas, Ramírez Perales y Jorge Campos. En esa ocasión, Miloc me felicitó y me dijo que iba a tener una carrera exitosa y creo que le atinó.

'Él estaba jovencito', dice Miloc, 'Aquella vez le comenté, pues estaba sentado a un lado de mí, que con el tiempo él iba a ser uno de los me-

LCANCES DE ORADOR SON MINIMOS, QUIERO APOYARME EN LA
ARA COMUNICARME CON USTEDES (JUGADORES) LO MAS RAPIDO Y
LE, Y AUNQUE ALGUNOS DE USTEDES YA ME CONOCEN, ME PERMITO
S ESTOS DOCUMENTOS, DONDE ENCONTRARAN PENSAMIENTOS PROPIOS
N SIN DETALLE LO QUE YO BUSCO, QUIERO Y ESPERO DE UN EQUIPO
Y DE SUS INTEGRANTES; TAMBIEN HAY ALGUNOS CONCEPTOS DE
SONAS, QUE CONSIDERO UTILES, NO SOLO PARA NUESTRA PROFESION.

R DEDICALE UN TIEMPO A SU LECTURA, Y OJALA ENCUENTRES ALGO
. EN CANCUN, DURANTE LA CONCENTRACION, HABRA UN TIEMPO PARA
. Y PONERNOS DE ACUERDO PARA FORMAR UN EQUIPO EN TODA LA
ON DE LA PALABRA.

BABLE QUE NO ESTES DE ACUERDO EN TODO LO QUE AQUI ENCUENTRES,
SO TAMBIEN NOS SERVIRA PARA INICIAR UN DIALOGO.

udio:
ebes saber que eres un gran jugador polifuncional
esto es muy importante que NO TE LO CREAS, sigue
omo hasta ahora con esa HUMILDAD bien entendida
Espero que sigas con tu proceso natural, progresa
y llegues a imponerte y ser reconocido no solo
aquí en tu País, solo te recomiendo NO TE
ACOMODES, busca algo más todos los días en
tu entrenamiento siempre al 100% y el PILON
(¿Ya compraste un BUEN RELOJ ?)

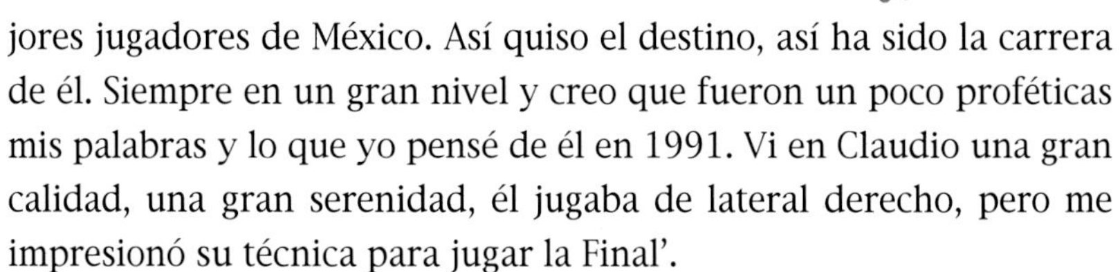

jores jugadores de México. Así quiso el destino, así ha sido la carrera de él. Siempre en un gran nivel y creo que fueron un poco proféticas mis palabras y lo que yo pensé de él en 1991. Vi en Claudio una gran calidad, una gran serenidad, él jugaba de lateral derecho, pero me impresionó su técnica para jugar la Final'.

El título con Pumas lo disfruté, pero como que no lo sentí mío porque sólo ayudé un poco. Todo el tiempo jugué como lateral derecho y uno o dos juegos, cuando se lastimó Abraham Nava, como central. El 'Tuca' Ferretti me utilizó, cuando se quedó de técnico, de lateral o medio de contención, con Miguel Mejía Barón de central en la Selección.

El día que ganamos el campeonato mis papás estaban muy emocionados y también todos mis hermanos.

Lo que son las cosas, en Texcoco no me hicieron mucho ruido. La mayor parte del Municipio le iba al América, Cruz Azul o Chivas. Pumas era nada para la población. No me hicieron fiesta ni reconocimiento. Yo sentía que no le daban tanta importancia porque de hecho, nunca iban los de Texcoco a verme jugar".

Un gran apoyo ▲

Claudio recibió de Ricardo Ferretti la orientación necesaria para consolidarse como un defensa central respetado en el mundo del balompié.

"Hasta la fecha de mí depende mucha gente de mi familia en Texcoco. Nunca he dejado de aportar dinero a mis papás; a mis hermanos les he ayudado en todo lo que he podido"

Claudio

Para el torneo 91-92 Mejía Barón se fue al Monterrey y Ricardo Ferretti se quedó al frente de Pumas hasta 1996 (el último torneo largo).

A nivel de la Primera División los universitarios no hicieron mucho. Los tiempos buenos habían pasado, sólo llegaron a la Liguilla para ser eliminados en Cuartos de Final. Los Pumas campeones del 90-91 dejaron atrás aquella imagen construida de lucha, esfuerzo y triunfos. En esos años tuvo un descenso el éxtasis de la cantera y formación de jugadores de Pumas.

Antes de irse con Ferretti a Chivas, Claudio jugó solo un torneo completo de los siguientes cinco años. Los cuatro restantes los dividió entre lesiones, convocatorias a la Selección Nacional: Copa América, Copa de Oro, Copa Confederaciones, Mundial de Estados Unidos 94 y Juegos Olímpicos del 96. Anotó 19 goles desde su debut en 1989; el último con la playera de Pumas se lo hizo a Chivas en el 96, el mismo año que vestiría la playera rojiblanca.

En este periodo la imagen de Claudio se fortaleció como un hombre de entrega, sacrificio, sólido y un apoyo indispensable para los Pumas.

Fue aquí donde Claudio aprendió una lección que Ferretti le enseñó a modo de desafiar el futuro. A partir de esa fecha no dejaría nada al azar sino que su mente pensaría en grupo, con un objetivo muy claro acompañado de un plan de acción para lograrlo.

"Jorge Campos", dice Ferretti, "Ramírez Perales, Claudio y Miguel España hicimos un compromiso y dijimos: 'Tenemos que prepararnos al máximo para ir al Mundial del 94'. Miguel España fue el único que no estuvo.

Tuvimos un trabajo especial. Fue una satisfacción que tengo al saber que ellos se comprometieron. Claudio venía de una fractura muy grande y él en la rehabilitación tomó confianza tanto en lo físico como en el aspecto técnico-táctico".

La formación futbolística que Claudio recibió en Pumas fue fundamental para fortalecer su carrera dentro del balompié.

El paso que le seguía era arribar al equipo más popular en México y ahí trascender, con el impulso del Guadalajara, a nivel nacional e internacional y ser de los jugadores más queridos y admirados por millones de aficionados.

Él supo aprovechar las oportunidades que la institución le ofreció. Uno de sus secretos para crecer en su desempeño fue la constancia, la determinación y el valor para lograr lo que él en su corazón había dispuesto.

Sabor a título ▲

Claudio acompañado de Irma, su futura esposa, en el festejo del ansiado campeonato del torneo de Liga 90-91. Abajo, Claudio da su primera vuelta olímpica, en el Estadio de la Ciudad Universitaria.

El poder de la unidad

CAPÍTULO 3

Conquista inicial

Irma conoció a Claudio a principios de la década de los 90 en la casa de los Pumas. Vino desde la ciudad de la eterna primavera al Distrito Federal para mirar de cerca lo que otras chicas de su edad presumían como fanáticas: fotos con futbolistas de renombre junto con autógrafos.

Su ilusión no iba más allá de buscar una firma de algún jugador de Pumas, quizá de los más importantes y no tanto de los que crecían en la sombra del anonimato.

Ella miró a Claudio al salir de un entrenamiento; se fijó en él como un joven lleno de ilusiones, amable, atento sin que le despertara la más mínima sospecha de que las flechas de la atracción habían coincidido en el mismo punto. Se requería tiempo para cerciorarse de que esas miradas trascenderían.

"Dios quiera que nuestra unión dure toda la vida"

Claudio

"A mí siempre me ha gustado el futbol, yo le iba a Pumas. Tenía dos amigas, una de ellas viajaba conmigo todos los días a Cuernavaca, le iba al América; la otra que era de Tampico no le interesaba mucho el deporte, no sabía ni qué onda, pero jalaba con nosotras, porque estudiábamos juntas.

Después de un semestre de la carrera de periodismo dijimos: 'Vamos un día de estos con el equipo que nos gusta para sacar una entrevista', porque en la escuela nos dejaban ese tipo de trabajos.

Primero fuimos a Pumas, llegamos al estadio y ahí me encontré a Claudio. Él estaba acompañado por un buen grupo de chavas de nuestra edad. Nos integramos con ellas y él hábilmente empezó a pedir números telefónicos de todas. Él nos dijo casi cuando nos íbamos: '¿Van a venir otra vez?', 'Pues sí', le contesté; en ese tiempo la temporada ya había terminado".

Claudio e Irma se conocieron el 28 de mayo de 1990. A Irma no se le olvidó la fecha porque fue un acontecimiento que se registró en lo más profundo de su corazón.

Los Pumas se prepararon para iniciar lo que sería uno de los campeonatos más emocionantes para Claudio. Poco antes de la temporada 90-91 los Pumas jugaron el torneo de Copa, ahí Claudio anotó su primer gol en el sector profesional de la Primera División, ante el Puebla.

Lo más importante es la familia

Claudio y su esposa Irma juntos con María Fernanda, Claudio Jr. y la pequeña Sandra Irma.

"Claudio nos dijo: 'Vengan'. Fuimos y él platicaba con todas las aficionadas que se acercaban, pero algo chistoso ocurría y pensaba: 'Guaaau, éste cuate es del primer equipo y aquí con la zapatera, la mochilita y viajando en el metro, como que no', porque toda la gente tiene la impresión de que ellos van, de una lado a otro, en el carrazo. Entonces dije: 'Él es un ser humano igual que yo, porque los dos andábamos en el colectivo, en el metro y a pie'.

Recuerdo perfectamente que el domingo 13 de junio, de ese mismo año, día de San Antonio, me habló por teléfono a Cuernavaca y le digo: '¿Quién habla?, ¿de dónde?, ¿o qué?', porque nadie me hablaba. Él dijo: '¡Acuérdate!, soy Claudio', le respondí: '¿En serio?', no me la creía, y a raíz de eso se dio todo.

Yo me quedé emocionada, me parecía imposible porque éramos tantas mujeres y me preguntaba: '¿Qué me pudo haber visto a mí?'".

La pareja de amigos se empezó a conocer más y después Claudio ayudó a Irma a entrar al Club Universidad, en el área de prensa ocasión oportuna para que ambos se frecuentaran todos los días.

En camino ▲

Claudio e Irma esperan a María Fernanda, primera hija.

Abajo, la feliz pareja festeja su unión con un beso.

"Él se me declaró el 5 de septiembre del 90. Le doy la respuesta el 6, cuando juegan en el torneo de Copa, el día que anota su primer gol. Le digo de broma: 'Todo depende de mañana, si metes gol sí'.

Para mi sorpresa se lo hizo a Pablo Larios, fue un gol de punterazo, casi sin querer y bueno no me quedó que decirle desde la tribuna: 'Ya lo decidiste'. Yo estaba en el estadio de Ciudad Universitaria, llovía y cuando anotó el gol, grité porque sólo él y yo sabíamos qué onda y qué pasaba. Estaba muy enamorada, decía mil cosas".

Muy cerca de la emoción llegó la inquietud. Casi dos años después Claudio fue convocado a formar parte de aquellos que buscarían un lugar para México en el Mundial del 94. Irma descubrió más detalles de él.

"Si no se hubieran dado las cosas, quizás no hubiéramos llegado a este punto porque a Claudio se le dio pronto el llamado a la Selección y es probable que cambiáramos los dos. Lo bueno es que no fue así.

Primeramente me fijé y me fijo en él por su sencillez, sus ojos, su forma de ser; me apantalló, la verdad se dio un flechazo.

Lo que él me ha enseñado es que sabe ser compañero. Es consciente de que es un ser humano, es paciente, aunque a veces se pasa; también la humildad, pero no me gusta hablar de él porque si sigo señalando todas sus virtudes me van a dar baje y ¿luego? Como esposos platicamos todo; he aprendido de él, espero que él también de mí. Nos hemos ido adaptando.

Claudio es una persona muy definida, lo que se propone lo consigue. Es muy entero en sus decisiones".

Claudio se mantiene presente en la conversación. Escucha con atención y con alegría todo lo que su esposa ha dicho.

Su discreción y mirada son reflejo de que espera intervenir en el momento más oportuno de la charla, para aclarar o agregar si fuera necesario.

La actitud que mantiene es como si estuviera en el terreno de juego presto a cortar un avance del rival o adelantarse a la jugada para clavar un gol.

"Platicamos con nuestros hijos y hablamos de las ventajas de tener como padre a un futbolista"

Claudio

"Desde que conocí a Irma me gustó su físico, eso fue lo primero que me llamó la atención. Después su manera de ser. También que le gustara el futbol. Hasta la fecha ella me acompaña a todos los partidos.

Cuando Irma salía de la escuela pasaba por ella. Nos íbamos a comer a fondas o a lugares económicos una torta o algo parecido. Era de ir al cine y más que nada estar juntos; disfrutábamos la compañía uno del otro. Pasamos cosas complicadas y luego nos casamos, no teníamos mucho de conocernos, ni dinero.

La primera casa que tuvimos la sacamos en Cuernavaca a crédito, pero nunca la estrenamos porque nos fuimos a vivir con mis suegros; estuve con ellos cuatro años. En México compré un departamento, pero nos aburríamos y mejor viajábamos a Cuernavaca porque nos sentíamos más libres, más a gusto.

Era pesado ir todos los días de Cuernavaca al DF, sobre todo cuando entrenábamos duro, pero era mejor que estar en la Ciudad de México. Pienso que como los dos venimos de abajo, no somos de familias acomodadas, apreciamos todo eso.

Yo creo que por esos hemos durado unidos. Irma es muy ordenada con los papeles, ella es mi representante, lo maneja todo. Nos hemos ayudado mutuamente. A veces le entra la depresión, luego a mí y ella me anima y yo la animo".

El carácter de Claudio está relacionado con la tranquilidad. No es frecuente verle de mal humor, si eso ocurre, tiene la capacidad para controlar sus sentimientos y ponerse en paz en menos de 48 horas.

"Cuando éramos novios nos enojamos, por uno o dos días ¿no?, le pregunta Claudio a Irma que está muy cerca de él. Una mañana se me metió la locura y fui por ella a la estación de camiones. Ella venía de Cuernavaca

y recuerdo que salí muy temprano de Texcoco, llegué a la terminal de Taxqueña y ella al verme estaba muy espantada y le dije: '¡No me dejas dormir!, pongámonos en paz'".

Irma pide la palabra, avanza un poco más en el terreno de la conversación y se atreve a comentar al respecto.

"Locuras que hace uno de enamorados, también las hemos hecho de casados, pero han sido locuras sanas".

"Hemos tratado de darles a los hijos cosas que no tuvimos en nuestra infancia con la idea de que sean mejores"

Claudio

Lo elemental

Pareciera que para construir una familia sólida es suficiente con dejarse gobernar por la inteligencia, el sentido común y el amor.

Ver las cosas como son y obrar en consecuencia es el primer requisito. Irma Cano Salgado no necesita grandes títulos académicos para llevar acabo lo que se debe hacer en pareja.

Según ella cuando las dos partes ponen su dosis de compresión no requieren discutir sobre lo que hay que hacer en el matrimonio. Si Claudio o Irma buscan apoyo, lo encuentran. A veces en ellos mismos, en otras ocasiones en la atención a los hijos y el cuidado del hogar.

Para ellos, entender, opinar y decir van ligados al sentido de la vida ¿qué hace falta? y a la brevedad lo cubren, ya sea en la salud o en la enfermedad, en lo próspero o en lo adverso, en la pobreza o riqueza.

Agua bendita ▼

Claudio Jr. es cargado por su padrino Jorge Campos el día de su bautizo.

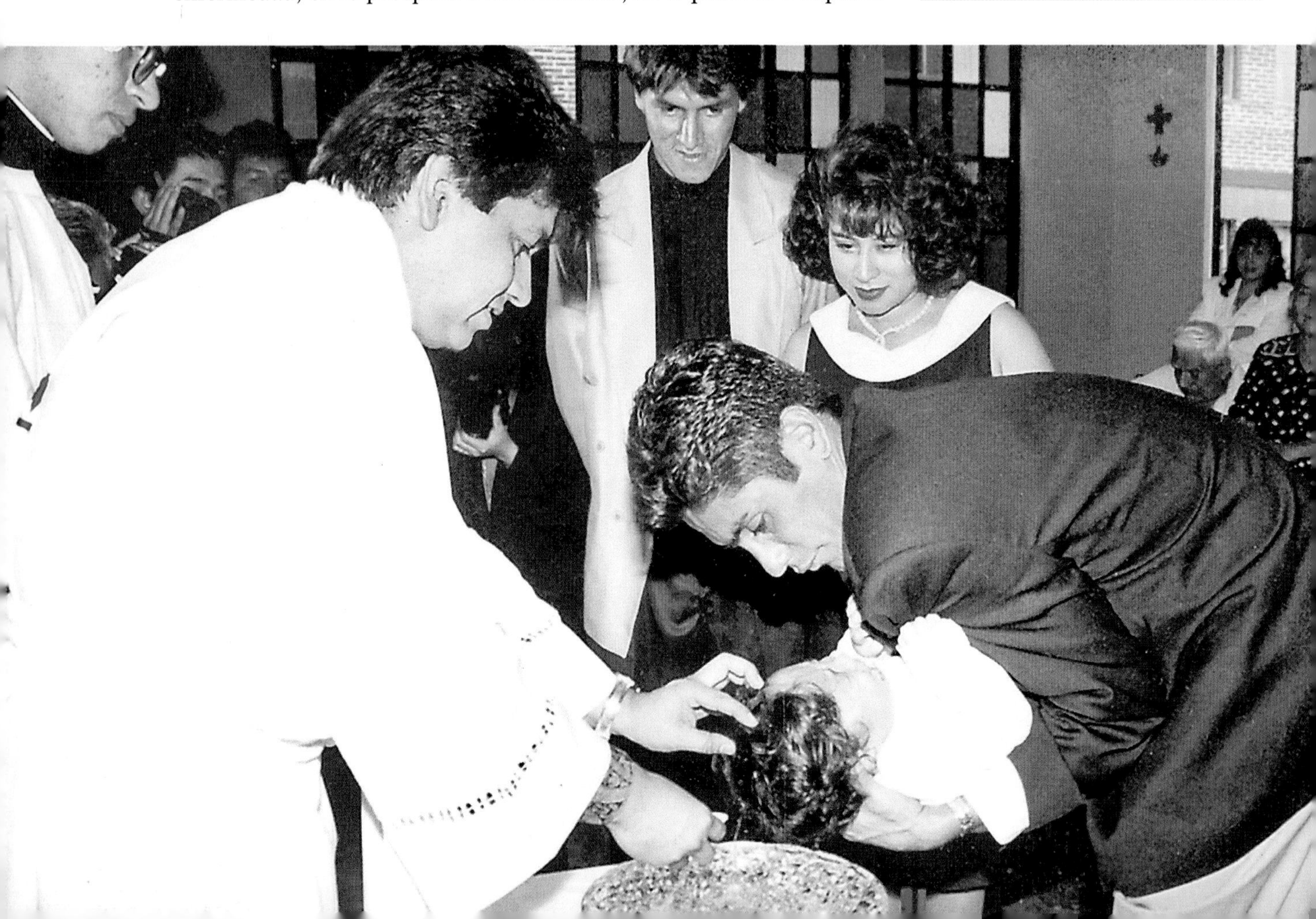

Con todo el apoyo ▲

Doña Isabel y don Felipe papás de Irma y doña Francisca y don Vicente papás de Claudio.

Abajo izquierda: Claudio con sus suegros, su cuñado Carlos y Claudia, la cónyuge de éste.

Abajo derecha: Claudio con su hija Sandra Irma.

La emoción de Irma de vivir con un hombre famoso se consolida en el amor: la renuncia, el respeto y en la protección. Es la práctica del amor que está por encima de la gloria, los goles, los buenos partidos, títulos, éxitos, trofeos y reconocimientos.

Para Irma se está más cerca y se prueba el amor cuando hay dolor, lesiones, difamación, críticas, desesperación, fracturas y rehabilitaciones. Porque ella desea, con todas las fuerzas, sacar adelante lo que siente que le pertenece. Por eso Irma motiva a Claudio, lo fortalece y lucha con toda su voluntad al lado de él para vencer juntos el desánimo y los obstáculos.

La vida del guerrero se muestra en la cancha, pero se nutre en casa con la fidelidad a su guerrera del mismo calibre, quien vive, disfruta, sufre y se adhiere a su guía.

Cuidar la base

Claudio e Irma tuvieron que sortear de muy jóvenes los ajustes propios de la unión matrimonial. Entendieron desde un principio, de la importancia de estar juntos, de la presencia de ambos y de los problemas, de la ausencia que expone a la pareja a todo tipo de vientos: el olvido, la indiferencia, la costumbre a estar solos, con el riesgo de dispersarse.

"Hay que darle a los hijos las herramientas para que se vayan preparando y defendiendo en la vida"

Irma, esposa de Claudio

Por muy buen futbolista que Claudio fuera, a principios del 92, captó que la falta de uno de ellos en el hogar, por causas justas o por nobles razones, podría involucrar en la soledad, a ella o a él, por la carencia de atención. En un momento, el desmoronamiento de las ilusiones y realidades estuvo a punto de aparecer, sin embargo, Claudio ratificó su decisión de seguir con el amor por el que había dado su brazo a torcer.

"De hecho por ahí tuvimos una etapa un poco complicada en nuestro matrimonio, sobre todo por los llamados a la Selección Nacional. Nosotros nos casamos por el civil el 6 de julio de 1991 casi al año y dos meses de habernos conocidos.

Cuando nace María Fernanda, yo me la pasaba mucho tiempo en la Selección, veía poco a la familia, eso ocasionaba muchos problemas.

En ese tiempo estuvimos a punto de separarnos, pero creo que fue la inmadurez de nosotros, de ser jóvenes con una responsabilidad de tener una hija.

Fue en el 92 y 93 cuando recibo mis primeras convocatorias a la Selección y ahí se presentan más dificultades; después de esos años todo bien.

Es como todo matrimonio, con altas y bajas; hasta la fecha los mismos problemas. Pero en aquellos años creo que sí fue una etapa decisiva como casados

Reciben a la más pequeña

La familia Suárez Cano alrededor de la nueva bebé. Abajo, Sandra Irma custodiada por un Citlalli que su papá obtuvo.

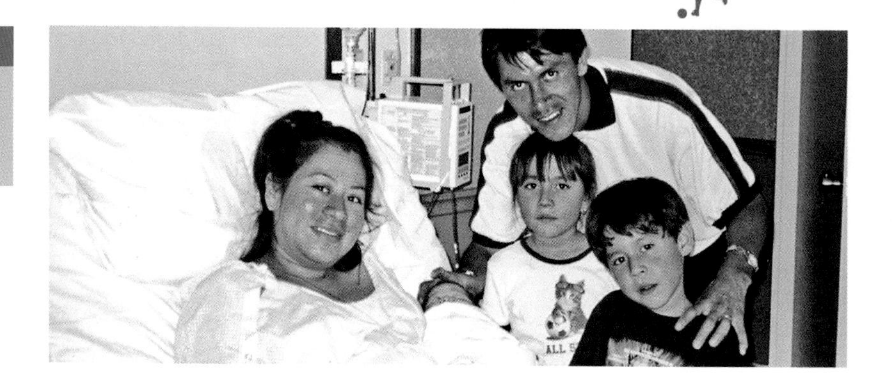

y nos hubiera afectado mucho la separación. Pero gracias a Dios todo salió bien".

En 1991 pasó un detalle en la vida de Claudio e Irma. Los papás del defensa central de Pumas no querían que se casara porque lo veían chico para contraer nupcias y asumir una responsabilidad de esa magnitud.

"Gracias a Dios, Claudio estuvo en el nacimiento de nuestros tres hijos"

Irma, esposa de Claudio

"Cuando les dije: 'Me voy a casar con Irma y quiero que me acompañen a pedirla', ellos me dijeron: 'No vamos'. Mi papá y mi mamá se me negaron.

Yo fui solo, como papalote. Conocía Cuernavaca pues ella me invitó en el 90. El hermano de Irma, Carlos no me aceptó en la primera vez, él con sus amigos se hacían los graciosos, pero después ya nos llevamos bien.

Las cosas cambiaron porque cuando nos casamos por el civil, mis papás aceptaron ir, pero no fue suficiente para que nos uniéramos por la Iglesia porque yo le decía a Irma: 'No me gustaría casarme por la Iglesia sin que mis papás estén' porque ellos decían: 'No vamos a ir'. Ya después mis padres estaban arrepentidos porque se habían portado de esa manera conmigo. Al final, la familia fue al civil y cinco años después a la boda por la iglesia, de hecho María Fernanda y Claudio fueron los pajecitos.

Nuestra primera idea era que queríamos muchos hijos, pero viendo la realidad deseábamos tener cuatro. Después se fue complicando con las tres cesáreas de ella. Uno como hombre se le hace muy fácil, pero lo importante es la salud. Finalmente decidimos que fueran tres y estamos muy satisfechos.

Estamos muy unidos en todo. A veces le digo a Irma: 'No vayas a mis juegos, los niños tienen escuela mañana', sobre todo cuando los partidos son entre semana o se siente mal o no participo, pero ella siempre está a mi lado. Ella me dice: 'Quiero ir, estar contigo'.

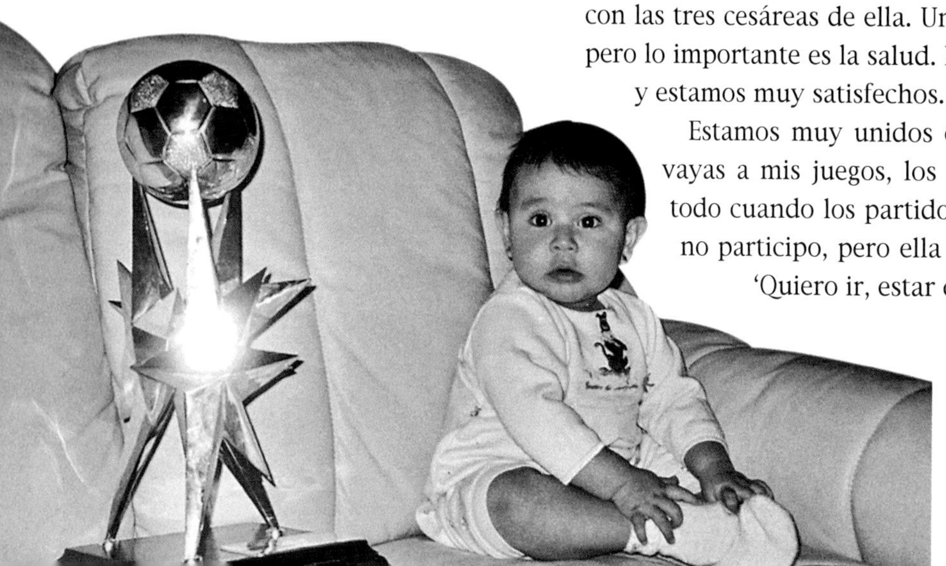

Mi esposa ha entendido la manera cómo se maneja el futbol, los dos hemos aprendido juntos, desde que yo no tenía nada".

Para Claudio el matrimonio es lo fundamental, independiente de la profesión que se tenga. Considera que es indispensable el trato; querer a la esposa y estar junto a ella, que más allá de lo que pase, siempre sentirse cerca. Considera que sembrar e infundir en los hijos los valores es lo más importante, porque su deseo es que cuando envejezca los hijos sientan el gusto de verlos, visitarlos, de buscarlos. Para él, esa es la manera en que la familia se apoya.

Claudio arremete, no se da por vencido, considera que tiene algo importante que comentar y lo hace.

"Yo le decía a Irma. 'Vamos a tener un hijo y no nos casamos'; yo no le daba tanta importancia, pero luego ya entendí que las mujeres tienen una gran ilusión. Pero uno va entendiendo que es importantísimo lo que son los hijos y que es mejor dejarse llevar bien por las leyes y como creyente, por Dios".

De alguna manera Irma ha estado atenta de su responsabilidad así como de sus sueños. Ella sabe que la familia joven tiene ventajas, una de ellas: convivir con los hijos, estar pendientes de sus inquietudes y entenderlos mejor.

Postales ▲

La familia viaja, conoce y disfruta nuevos aires.

"Mi mamá Isabel se casó muy joven con Felipe mi papá. Claudio a los 21 años de edad y yo a los 19. Mi idea cuando éramos novios era que yo quería tener una familia joven; yo me llevo bien con mis papás porque ellos me tuvieron cuando eran chicos. En el 91 nos casamos por el civil y por la iglesia nos casamos el 11 de mayo del 96; fue muy bonito, mis dos primeros hijos lo recuerdan".

"Les hemos dicho a nuestros hijos, con el afán de que valoren, que ellos tienen una oportunidad que no tuvimos"

Claudio

El punto clave

Los padres de Irma le enseñaron, desde niña, a comportarse con amabilidad, atención, respeto y educación. La esposa de Claudio aprendió a beber en su propio hogar la virtud del orden y de las prioridades.

En cada uno de los acontecimientos Irma ubica, con prontitud, lo que es primero, segundo y tercero. Jamás olvida la lección que sus padres le mostraron sobre la importancia del cuidado que hay que tener de los hijos en su crecimiento. Cuando le tocó su turno se dispuso a mirar de frente el compromiso sin escatimar esfuerzos a lo que por "derecho" le correspondía.

"Yo no terminé de estudiar; nunca trabajé, no es reclamo. Yo me dediqué a la casa y enteramente a Claudio; después nació María Fernanda y con los llamados a la Selección de Claudio intenté estudiar, pero ya no. Tenía a mí niña y Claudio empezaba en la Selección y dije: 'Me dedico a lo que ya tengo'.

Hemos crecido juntos y ahora los hijos ya empiezan otra etapa. De niños los disfrutamos y a los grandes los estamos viendo que están tomando un camino. Nos hace pensar en volver a los orígenes y otra vez ir sembrando y recordando, ahora sí que son los detalles diarios.

A sus hijos María Fernanda, Claudio y Sandra los adora, los ama. Yo soy la mano dura y Claudio es quien concede todo, siempre viendo el bienestar de ellos.

Creo que María Fernanda ha heredado de su papá la tranquilidad; ella observa, piensa y luego actúa. Claudio y Sandra el entusiasmo, tienen una idea y se meten con el corazón en lo que quieren hacer, lo que planean".

Hasta el cielo ▲

Claudio Jr. y María Fernanda viajan con su papá.

Abajo: Toda la familia reunida en Londres.

De forma discreta Claudio sonríe, le da gusto tener una mujer definida en proteger y vivir los valores como la mejor herencia que les pueden dejar a sus hijos.

"Cuando Sandy, la más pequeña de los hijos, insiste mucho y no me deja observar los juegos le digo: 'Tengo que ver los partidos porque sino el 'Tuca' Ferretti me regaña'. Ellos entienden muy bien. Me siento satisfecho de haber logrado una familia unida, donde nos entendemos todos; los problemas que mis hijos van presentando, ahora que están en su juventud, les ayudamos hasta donde podemos para que los resuelvan de la mejor manera.

A veces le platico a Irma de estrategias dentro del futbol y le pregunto: '¿Ya te aburrí?' y no, le gusta. También mis hijos se han adaptado a mi forma de vivir.

Yo creo que como familia más bien nos hemos adaptado a mi situación; a veces por no tener tiempo ellos dejan de ir a eventos que querían, pero tienen que sacrificarse.

Ellos han entendido que la vida del futbolista es un poco especial y diferente a los papás de sus compañeros que tienen un horario de oficina. Saben que ellos tienen otra manera de vivir y cada quien se adapta a la familia que va teniendo. Algunas veces mis hijos se han dejado llevar por las emociones y empiezan los reclamos al querer ser igual que los compañeros, pero lo han entendido y espero que no les afecte.

Ellos son buenos niños, los vemos bien y a medida de que ha pasado el tiempo tenemos más libertad de salir juntos, de llevarlos, de darles más y creo que nos hemos complementado todos yendo por buen camino.

Irma ha tratado de no compensar mi ausencia con cosas materiales extras; a un hijo nunca se le llena, siempre va a pedir más y más. Hemos guardado cierta disciplina porque lo material no es todo; mientras todo esté bien en la familia, los cinco vamos a estar bien.

Dios quiera que duremos juntos toda la vida".

Juntos en la alegría ▲

Claudio e Irma con el Citlalli ganado en 1996

En las buenas y en las malas

La vida suele ser más atractiva cuando todo marcha de maravilla. El panorama se empieza a nublar cuando las cosas no resultan como se esperaban, sin embargo, el tamaño de las personas es la clave para salir avante.

Irma considera que ganar un título conlleva satisfacciones, nervios y desesperación. Se aprende mucho de los triunfos porque finalmente es el trabajo de Claudio el que llega a un buen término: "Sus logros son mis logros", dice Irma '¿Y qué le queda a uno?' Sufrir y gozar. Son mucho mejores las buenas.

No todos los partidos son iguales. Las Finales de Pumas, Chivas y Tigres han sido padrísimas. Yo lo que pido a Dios que en cada partido Claudio salga ileso, porque él se entrega en cada juego completamente. Pido a Dios porque ganen.

Yo sí lloro, grito, no me importa, ya después me da pena lo que la gente diga; voy al estadio y me desahogo.

En la derrota es el doble de esfuerzo porque finalmente llega todo desmoralizado, enojado, confundido y la labor mía es tratar de levantarle el ánimo más o menos. Calmar el enojo o tratar de sobrellevar para los siguientes días porque finalmente cuando se pierde un campeonato no se puede hacer nada.

Claudio me dice: 'La derrota es muy frustrante, es algo que no se olvida. Yo creo que se queda tan grabado ganar el campeonato como la espinita clavada por perder. Duele más una derrota en donde se pierde un campeonato que un juego normal, porque de inmediato se recuerda: 'Si yo hubiera hecho'".

"Cuando estaba mucho tiempo en la Selección y regresaba a casa María Fernanda lloraba al verlo porque no reconocía a Claudio"

Irma, esposa de Claudio

Cemento

cemento MONTERREY
¡DURO MEXICANO!
CARTA BLANCA
Cemento
MONTERREY

La visión

Dicen los entendidos en materia de la motivación que el sueño de lo que se quiere ser es el impulso inicial para lograr el futuro. Claudio trabajó con tenacidad en esto cuando llegó a Pumas en 1987.

Su visión a 10 años adelante la compartió con Irma y juntos se acompañaron en lograrlo.

Tan pronto se conocieron Claudio fue transparente con Irma respecto a lo que quería lograr como jugador. Lo primero era la titularidad del primer equipo, después ser campeón, que se le dio pronto. Más tarde llegar a la Selección y más adelante volver a campeonar.

Nunca tuvo como reto ser la máxima figura, siempre aspiró a algo que estuviera a su alcance. Tuvo el deseo de poder jugar en el extranjero, hubo rumores poco después del Mundial del 98, pero nada en concreto hasta el 2006 con Chivas USA.

"Yo creo", dice Irma, "que una cosa que distingue a Claudio es la constancia, eso de seguir día a día. Es el amor a ser lo que quiere, la entrega. Lo que él tiene es la chispa de seguir, de entrenar, de hacer las cosas por amor, pasión.

Él hace las cosas convencido de lo que quiere hacer. Lo que me inyecta como persona, por estar cerca de él, es hacer las cosas lo mejor posible, con entrega convencida de que lo tengo que hacer.

Siempre ha estado luchando, trabajando y consciente de que el futbol lo trae en las venas. Las veces que me ha comentado: 'Dejo el futbol', yo le digo: 'No te imagino haciendo otra cosa que no sea futbol, en lo que siempre has estado involucrado'. Ahora lo veo jugando, más adelante a ver qué sale".

Entre amigos ▲

Claudio y sus hijos con Javier López "Chabelo" en el Centro de Capacitación de la Ciudad de México. Abajo, con su amigo y compadre Alberto Coyote.

"Lo que finalmente queremos es que María Fernanda, Claudio Jr. y Sandra Irma estén conscientes de que lo material no es todo y que lo importante es la familia"

Irma, esposa de Claudio

Claudio mostró desde su debut en 1989 que algunas virtudes le fueron enseñadas en su casa. Reconoce que fueron, quizás pocos, los que influyeron y que dejaron marca en su voluntad.

Él observa a la gente. Mira con agrado a quienes se proponen algo y lo logran, pero le entristece que de repente se caigan. Ha aprendido que cuando logra cosas importantes le da miedo, sobre todo en la Selección, porque ahí existe más presión, pero él considera que ese es el reto.

"Cuando estoy en la cancha entiendo que tengo una responsabilidad y un deseo de que me salgan bien las cosas. Intento jugar siempre en un nivel alto o regular, ser constante.

Día a día me motivo. Muchos jugadores están esperando que venga alguien a motivarlos y eso no debe ser, lo importante es que cada uno logre esa motivación. Puede pensarse en la familia, lo económico, canciones que dejan mensajes; cada quien busca una motivación, estar con muchos ánimos y yo creo que eso ayuda a lograr metas. Las cosas van saliendo de los sueños".

Alguien superior

Irma y Claudio bebieron desde sus hogares la importancia de reconocer la existencia de un Dios. Desde entonces a Él ofrecen sus proyectos, angustias, preocupaciones como sus éxitos.

En su casa, en una parte visible, siempre tienen un altar, que les invita a recordar que todo es pasajero, que la vida no termina en la tierra, que existe alguien superior a quien le rinden honor.

"Es fundamental, somos creyentes", dice Claudio: "Nos encomendamos a Dios, a la Virgen de Guadalupe, creemos en los santos, en los ángeles que nos cuidan, pedimos a ellos.

Diario estamos pidiendo, vamos a la Iglesia, de hecho Irma y yo vamos a misa, pero creo que sí es importante en quién creer y tener un modelo a seguir y llevarlo a cabo; más que nada la fe en Dios y a los Santos.

Tuve la oportunidad, gracias al futbol, de conocer al Papa Juan Pablo II. Él fue alguien que tenía un don, era mágico. Su presencia dejaba sentir un algo, tan sólo de verlo y tocarlo. Recuerdo que en el Vaticano me contuve, pero tenía ganas de llorar y coincidí con los compañeros del equipo que sintieron lo mismo, como si fuera un ser de otro mundo, yo creo que fue un santo. Juan Pablo II nos regaló un rosario, fue un acontecimiento muy emocionante. Nos gusta leer la vida de los santos. Tratamos de portarnos bien y de enseñar un camino de honestidad y sinceridad, creo que esa es la mejor herencia que les podemos dar a los hijos".

"Sí, leía la Biblia en las concentraciones y también llevaba un libro de oraciones. Cuando salgo a jugar, de cierta manera busco siempre apoyarme en Dios, busco orar"

Claudio

Piel de chiva

Titubeos en la contratación

"Después del Mundial de Estados Unidos empiezo con la inquietud de salir de Pumas más que nada por mejorar en lo económico.

Para ese entonces ya había demostrado que tenía un valor, una capacidad tanto con el equipo universitario como en la Selección Nacional; sentía que no estaba bien recompensado".

"Desde el primer día que llegué Salvador Martínez Garza siempre me respetó. Me cumplió lo que habíamos pactado, conmigo siempre se portó muy bien"

Claudio

Fueron los años en que Claudio cayó en la cuenta de que el futbol es un negocio y que los jugadores generan mucho dinero. La inquietud porque le mejoraran el sueldo la resumió: "Quiero ganar más". Claudio fue con la directiva de Pumas, les planteó su necesidad y la respuesta fue: "No tenemos dinero". Desde ese momento él marcó la pauta y con la serenidad que le distingue dijo: "Déjenme salir".

El magno evento del 94 dio a Claudio una forma diferente de caminar, comportarse y mirar su alrededor; ya se le empezaba a notar, de cerca y de lejos, la jerarquía de un jugador fuera de serie.

El evento deportivo más importante del mundo, en el que México logró el octavo lugar, le abrió los ojos a su directiva y afianzó la decisión del técnico Ricardo "Tuca" Ferretti de no dejarlo salir de la institución. El temor era válido, el equipo sufriría una baja difícil de sustituir.

"No era el momento de que se fuera; él tenía que seguir apoyando al equipo de Pumas porque era necesario", dice Ferretti. "Lo platiqué con él y le dije: 'No, ahorita no, y si sales no es a cualquier equipo'. La suerte se dio. Dos años después, llegamos a Chivas".

Las condiciones orillaron a que Claudio aceptara las nuevas pautas. Había sellado con "Tuca" Ferretti un pacto de lealtad no escrita en papel, pero sí en el corazón: "El "Tuca" me dijo: 'Quédate' y yo seguí con él".

Claudio hizo un arreglo con la directiva por un año más. A partir del 95 podría buscar nuevos aires, pero los hombres de corbata de la institución insistieron en que permaneciera hasta el 96, año que coincide con la salida del timonel de Pumas: "Me detienen una vez más, argumentan que podía sacrificar un poco de dinero; ellos me dan la oportunidad de negociar con un porcentaje de mi carta con la promesa de que en el 96 recuperaría ese dinero; firmé un contrato, no muy bueno".

El estreno ◄

Claudio consolidó su prestigio como defensa central al llegar al Guadalajara en 1996. Él fue un baluarte importante para que Chivas lograra su décimo título en la Primera División.

Llegó el tiempo marcado y Claudio acudió con el ingeniero Guillermo Aguilar Álvarez, presidente del Patronato de la UNAM, quien finalmente cumplió la promesa de abrirle la puerta grande.

En el Invierno del 96, en el primer torneo de Liga corto, se entrelazan varios acontecimientos. El holandés Leo Bennhakker renuncia a Chivas y recomienda a Salvador Martínez Garza, quien arrendaba a los rojiblancos, la contratación de un técnico que sólo conocía por su forma de dirigir: Ricardo "Tuca" Ferretti.

Ni tardo ni perezoso, el brasileño agradeció a Leo y aceptó la propuesta de Martínez Garza de encabezar al equipo más popular en México. Prometió hacerlo campeón y pidió que la directiva se hiciera de los servicios de Claudio, quien ya contaba con un colmillo más que retorcido a sus 27 años de edad. La figura del defensa central del Tricolor sumaba en 1996: dos Copa América, un Mundial, un título de Liga, una Copa de Oro, un Citlalli y en vísperas de acudir a los Juegos Olímpicos de Atlanta.

"En Chivas pierdas o ganes siempre apareces en la prensa; es una responsabilidad, pero también una cosa bien padre. Lo que busco como jugador es que reconozcan mi trabajo"

Claudio

Sin embargo, Ferretti prefirió promover más los valores de Claudio hacia el interior del Club que sus habilidades futbolísticas. "Tuca" justificó ante Martínez Garza, presidente de la Promotora Deportiva Guadalajara, por qué Claudio y no otro; se atrevió de pasadita a presumirlo.

Lo tangible estaba a la vista de todos y era indiscutible. A "Tuca" le tocó la misión de hablar de las virtudes de uno de los jugadores más importantes que ha dado el futbol mexicano en los últimos 100 años.

"Claudio es un tipo muy tranquilo, muy centrado, para mí es como la moneda del centenario dentro del futbol mexicano: a todos nos cae bien. No he escuchado a una sola persona en el balompié que hable mal de Claudio, nadie, ni rivales. Yo creo que tiene un don, un don de gente, muy sano, trata de ayudar a los compañeros. No reniega. Jugador limpio, honesto. En la cancha siempre es muy competitivo con una amplia lucidez y entendimiento táctico. Maneja muy bien los tiempos dentro del terreno de juego. No tiene una gran fortaleza física, porque no es de lo jugadores tan potentes, pero una mentalidad

17 DE MAYO DE 199

10

Por firmar

Chivas ofreció a Suárez millón y medio de dólar

Claudio Suárez recibió millonaria oferta del Guadalajara. De muy buena fuente OVACIONES se enteró de que el "Rebaño Sagrado" tentó al jugador de Pumas y seleccionado

*** Tiene propuestas de América y Atlante.- Ya firmó su carta de transferencia**

nacional, con un millón y medio de dólares para que firme con ellos, por supuesto, siempre y cuando le coloquen la etiqueta de transferible, lo cual según el propio jugador, "es ya un hecho", luego de haber llegado a un acuerdo con la directiva de Pumas para salir. "El ingeniero (Aguilar Alvarez) estuvo de acuerdo en que el año pasado había firmado mi transferencia y no habrá problema para dejarme en libertad".

Al ser cuestionado sobre la oferta, Claudio no quiso confirmarla, pero reconoció que

Claudio Suárez... El universitario lle directiva y estará tr

Chivas es uno de los tres equipos que se han interesado en sus servicios, al igual que Atlante y América.

Agregó que la directiva universitaria tasó su carta precisamente en un millón y medio de dólares, precio que consideró "elevado. Pero tengo la confianza de que seré comprado por algún equipo en el draft".

JERO

Por: José Manuel FLORES M.

pico saben cumplir

ontratación de Víctor Manuel dor del Cruz Azul. Pero eso comentamos en La 2a. de " que los hermanos Alvarez, do" a la opinión pública, con rdadera reacción. ban "muy tristes" porque "les n reconocido que no fue así. iempos, donde algunos en promotores y defensores eran exclusividad de los trenadores.

que cambiar al entrenador. h se atoraron precisamente as en el manejo de objetivos. que estamos en el medio y ntera de años, sabía que uno el ganar partidos, sino la os puntos sobre las íes en ese Vucetich gran éxito. co técnicos que han desfilado tiempo cuidándose de sus de los promotores (entre los distas) y de funcionarios de ambiente terrible. Si Vucetich poder y establece ese puente ahora podemos decir que La en los tres torneos.

se comenzó a hablar de que el Cruz Azul porque es "muy os recordar que unos de los el fuimos nosotros, pero una con el tipo de futbol que sea miedoso o temeroso como ecir por ahí.

Tras la salida de

Atlas quiere a

*** También interesan Bielsa y Miguel Ruso.- Confirm**

terminado su relación laboral con

Cada equipo puede negociar dos jugadores, "por fuera"

¡"DRAFT" SIN CHISTE!

ESTO

ORGANIZACION EDITORIAL MEXICANA

MARIO VAZQUEZ RAÑA

ZACUINHO — GUZMAN — ANDRADE

NORIEGA — SUAREZ — MOHAMED

$ 3.00

Listas, las listas

320 TRANSFERIBLES

Casi está hecho el cambio en Pachuca

"PATO" POR "RATON"

Atlanta-96

NANCY CONTRERAS ES NUESTRA ABANDERADA

DIABLOS PERDIO EN EL PRIMER INNING / TIGRES REPITIO DE ATRAS

Q. ROO 2	REYNOSA 5	DIABLOS 2	N. LAREDO 2	MINATITLAN 1	YUCATAN 9	U. LAGUNA 1
TIGRES 3	MONCLOVA 2	RIELEROS 8	SULTANES 3	TABASCO 0	CAMPECHE 2	SALTILLO 4

Prestigio de altura ▲

En la compra y venta de cartas de jugadores en Acapulco en 1996, Claudio fue el jugador más solicitado por otros equipos.

"A mí me gustaría que con Claudio no pasaran los años, que fuera eterno. Hay jugadores que a mí me gustaría que no fueran eternos: Maradona, Pelé. A mí me gustaría que Claudio hubiera tenido 25, 26 ó 27 años, que ahí se quedara, que no pasaran los años"

Ricardo Ferretti

Técnico de futbol

impresionante. Nunca ha sido un jugador mala leche, va a la pelota firme, sin tanto esfuerzo.

Muchas veces le dije: 'No te voy a meter', porque tenía dolores fuertes y él respondía: '¿Por qué "Tuca"?' y le intentaba convencer: 'Porque veo que te estás sacrificando demasiado', él contestaba: 'Lo supero'.

Él tiene un umbral de dolor muy alto, a lo mejor para otros los hubiera hecho parar, él entraba al juego, se sacrificaba.

No reclama, siempre alegre y bromista. Cuando las cosas están tensas saca algo para relajar al grupo".

Ferretti sabía lo que quería con Claudio en Chivas: tenía que ser el entrenador dentro de la cancha. A Claudio le correspondía ajustar los detalles, ser líder y conocedor del futbol. El jugador nacido en Texcoco tenía la misión de mostrarse como un modelo para que el equipo pudiera seguir progresando: "Para mí es un súper ejemplo", dice "Tuca".

Convencido Martínez Garza de que Claudio debería llegar a Chivas, giró instrucciones a su mano derecha para que se encargara de contratarlo antes de llegar al *draft* del 96 en Acapulco. Él se puso en contacto a la brevedad y a esa misma velocidad echó abajo la recomendación de Ferretti. No le hizo caso y expuso al ex puma para que fuera seducido por otro equipo.

"Antes que se diera la negociación con Chivas recibo una oferta del América y del Toluca. Con Chivas tuve una primera plática por teléfono, quería que se enteraran de mi propuesta y que a la mera hora en el *draft* no se cayera la negociación. Ellos la supieron, pero no querían mejorarme en lo económico; entonces pensé que no se iba a dar la contratación e incluso le hablé al "Tuca" para darle las gracias por la invitación".

Ya en el *draft*, Claudio se sintió como en el terreno de juego. Con habilidad y a manera de presionar, a quien se opuso a su llegada a Chivas, le enseñó un poco de lo que haría con la playera del Guadalajara en caso de amarrarse con la institución.

"Antes de llegar al evento, un directivo del América me había dicho que no se iba a hacer con ellos, mientras que Toluca insistía mucho a través del licenciado Peláez; no conocía a muchos de los jugadores. Pero yo tenía ilusión de ir a un equipo grande como Chivas donde me encontraría con amigos de la Selección como Alberto Coyote, Ramón Ramírez, Camilo Romero, Manolo Martínez y una vez más la dirección de "Tuca".

Ya entrados en la compra y venta de las cartas de jugadores se mencionó mi nombre y de que voy a Chivas. Pero yo le pido al ingeniero Rafael Anaya, del patronato de Pumas, que me ayude y dice con

micrófono en mano: 'Claudio no se vende a Chivas, porque no hemos negociado'. En ese momento el vicepresidente del Guadalajara se levantó rapidísimo y en cinco minutos arreglamos".

La carta de Claudio fue tazada en un millón 500 mil dólares que junto con José Damasceno "Tiba", compañeros en Pumas, habían sido las transferencias más caras del *draft* de Acapulco.

Un leve rechazo

Claudio llegó de los Juegos Olímpicos de Atlanta 96 con el entusiasmo de vestirse de chiva.

Él no sabía que la afición le tendría un recibimiento no del todo agradable; el día de su exhibición algo ocurrió que lo recordaría toda su vida como otro obstáculo a vencer.

Chivas estaba en la Semifinal del Torneo de Copa, enfrentaría a Toros Neza en el Jalisco. Los ojos de los seguidores del Guadalajara estaban pendientes de observar a la flamante contratación que tendría el encargo de ajustar en la línea defensiva a: Joel Sánchez, Noé Zárate, Camilo Romero, Felipe de Jesús Robles y a Héctor "Pirata" Castro.

"Creo que llego dos días antes del partido y pensé que no iba a participar. El "Tuca" me dice: 'Vas a jugar' y me mete. Perdemos en mi partido de presentación 2-0 y nos eliminan.

Lo recuerdo muy bien porque terminado el juego mucha gente que estaba en la reja, donde se ponía el autobús, me insultaba y me decían que mejor me regresara. La verdad me desmotivó un poco porque sentía que la gente no me quería, me preocupaba porque había iniciado mal. No hubo buenas referencias a mi llegada.

Cuando inicia el campeonato nos toca como primer juego Pumas en el Jalisco. En el entrenamiento de la semana el "Tuca" dice: '¿Quién tira

"El cambio que viví de Pumas a Chivas fue muy radical desde los entrenamientos. El equipo estaba muy bien y las tribunas del 'Tolán' se llenaban, la gente se metió de lleno. Para salir después de un entrenamiento era un rollo, pero la verdad fue muy padre y jugar casi siempre de visita con estadio lleno. Cuando llegábamos a cualquier ciudad había seguridad, casi casi nos pasábamos encerrados en la habitación. Ahí ves la magnitud que tiene Chivas"

Claudio

Con carácter

Claudio anota su primer gol con Chivas en el Torneo de Invierno 96, ante su ex equipo Pumas.

Control del área ▲

Claudio fue convirtiéndose en un defensa indiscutible con la playera rojiblanca.

"Hasta la fecha, a pesar de que tengo años de que salí de Chivas, la gente me sigue queriendo. Me encuentro gente aficionada al Guadalajara y me recuerda sobre todo en Estados Unidos"

Claudio

los penales?. El que meta todos y gane, ése es el que va a tirarlos'. Yo gané el concurso, pero el "Tuca" me dice: 'Si hay penal tú no lo tiras' y le digo 'No, yo sí lo tiro ¿por qué no?' Yo creo que "Tuca" pensaba que como era contra Pumas se fuera a mal interpretar si lo fallaba. Pero a mí no me importó si era mi ex equipo o el que fuera.

Ya en el juego nos marcaron un penal a favor; a la mera hora sí sentí los nervios. El "Tuca" no estaba muy convencido, pero me dije: 'Sí lo tiro', fui muy decidido y lo metí. Después pensé y sentí la presión de qué hubiera pasado si lo fallo".

Desde ese momento puras buenas llegaron al campamento rojiblanco. En la Jornada 3 del Torneo de Invierno 96 el equipo comandado por "Tuca" Ferretti propinó 5-0 al América como signo de lo que se avecinaba. Once jornadas más tarde, la suerte cambio cuando el Necaxa llegó al Jalisco para ganar 3-2 y dejar claro quién manejaba la tensión y la presión en un partido de exigencia.

"De ahí me empezó a ir muy bien, de hecho en ese torneo calificamos, pero el Necaxa nos sacó de la Liguilla, en Cuartos de Final el 9 de diciembre de ese año, en uno de los juegos que para mí han sido de los mejores en mi carrera.

Recuerdo que en el Estadio Azteca perdimos 2-0; en el Jalisco teníamos que meter mínimo dos y no recibir para pasar a la Final. Joel Sánchez anota el primero y luego viene un penal y lo ejecuto para el 2-0. Con ese resultado parcial ya estábamos adentro. Necaxa reacciona, hace un cambio, entra Sergio el "Ratón" Zárate. La intención de ellos era que alguien de nosotros lo tocara en el área y él se dejara caer.

Camilo Romero se precipita un poco y se barre y el "Ratón" se tira, aunque no era para penal, Arturo Brizio lo marca. Ni modo, fue la maña

de él. Con el gol de Alex Aguinaga quedamos fuera por el marcador global de 3-2 a favor de ellos.

Ese juego me gustó mucho porque teníamos una condición física impresionante. Todos recuperábamos la pelota rapidísimo, como maquinitas. La gente decía que no íbamos a aguantar, pero lo hicimos. No más que en el 2-0 nos entró la idea de manejar el juego aunque tuvimos oportunidades para liquidarlos, creo que Gustavo Nápoles y Nacho Vázquez fallaron; nos faltó más colmillo. Yo apostaba a que íbamos a ser campeones, pero ni modo".

A finales de 1996 la afición de Chivas empezó a ver a Claudio como alguien en quien confiar. El ídolo era Ramón Ramírez, pero Claudio no se quedaba corto en la preferencia de la gente.

Las barreras iniciales se habían esfumado; la experiencia de Chivas en ese torneo fue determinante para retar el Verano del 97. La unidad del grupo se consolidó con una probadita de llegar juntos a Cuartos de Final. Se hicieron propósitos de año nuevo. Todos tenían la ambición de lograr un campeonato.

La décima estrella

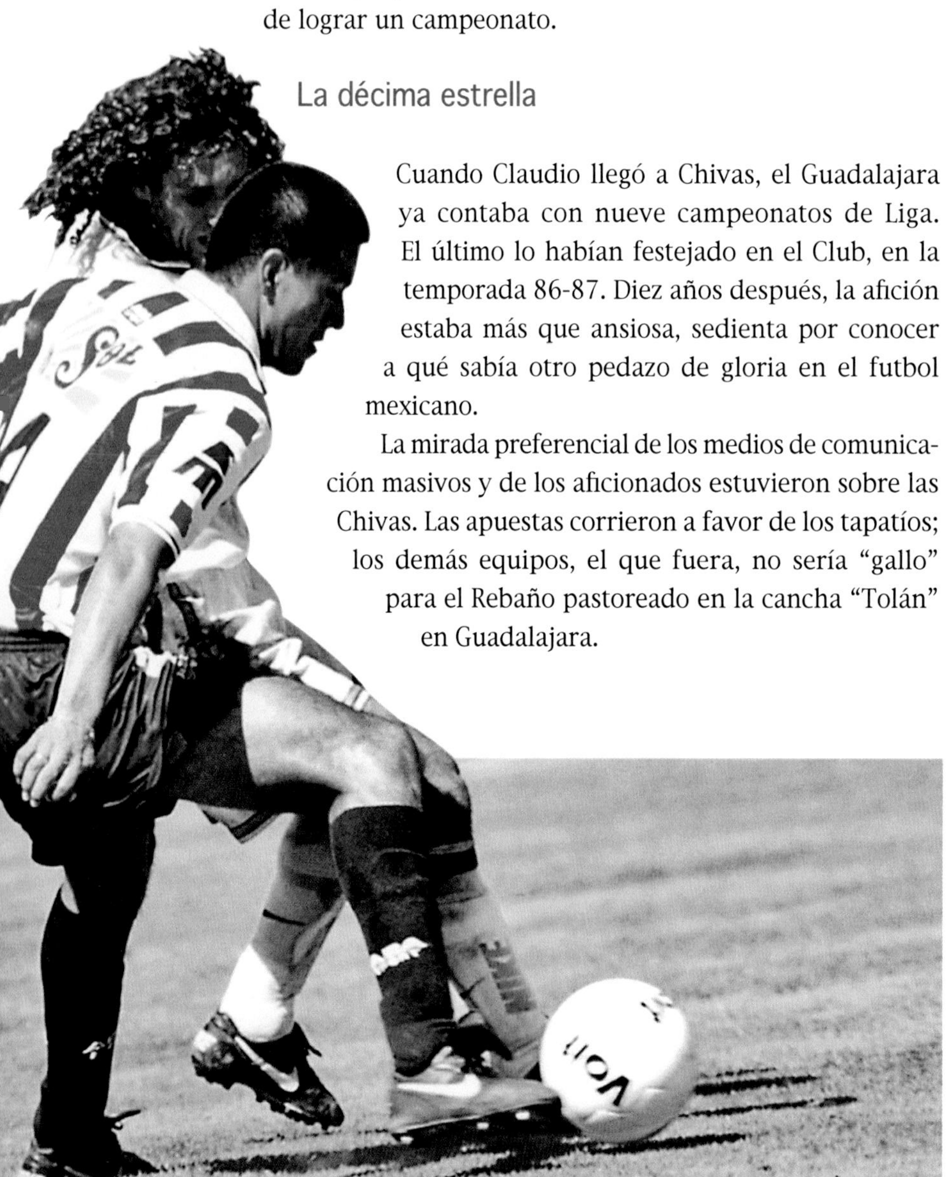

Cuando Claudio llegó a Chivas, el Guadalajara ya contaba con nueve campeonatos de Liga. El último lo habían festejado en el Club, en la temporada 86-87. Diez años después, la afición estaba más que ansiosa, sedienta por conocer a qué sabía otro pedazo de gloria en el futbol mexicano.

La mirada preferencial de los medios de comunicación masivos y de los aficionados estuvieron sobre las Chivas. Las apuestas corrieron a favor de los tapatíos; los demás equipos, el que fuera, no sería "gallo" para el Rebaño pastoreado en la cancha "Tolán" en Guadalajara.

"Iba a la Selección y a donde quiera que me paraba la gente se me acercaba y lo mismo pasaba en Chivas. A lo mejor esto me ayudó para no sentir esa presión, contrario a unos compañeros que sentían nervios del aparador que representa la Selección"

Claudio

Claudio constituido como líder de los rojiblancos, vivió ese campeonato como si hubiera sido el primero. Llevaba uno, pero ese lo sintió de manera especial: "Lo disfruté mucho más que el de Pumas, porque era otra responsabilidad; yo era la gente de experiencia".

A Claudio le representaba hacer labor, asomar más la cara y de frente retar a quien se le pusiera. Con mayor madurez hacía más labor de grupo dentro de la cancha y no se echaba para atrás con la carga de las responsabilidades. "Eso me hizo sentirme más emocionado".

Él daba la mejila, pero no estaba sólo. Contaba con Ramón Ramírez y Alberto Coyote, para poner orden, por si fuera necesario.

"La inmensidad como se festejó fue impresionante; en Pumas no era la misma magnitud. Todavía con Pumas me tocó un tiempo que no tenía tantos aficionados; ahora yo veo que los universitarios crecieron bastante en afición. Pero con Chivas impresionante.

El partido de la Final contra Toros Neza, el 3 de junio del 97, estuvo muy tenso. La primera parte muy dura; en la segunda, el equipo se destapó con muchos goles. Gustavo Nápoles salió en su día, metió cuatro.

Ahí el único problemita fue la expulsión mía que me costó tres juegos para el siguiente torneo. Cometo el error de calentarme de más, que no me había pasado, aunque la pensé muy bien. En el marcador estábamos del otro lado, teníamos un 4-0 (5-1 global) y dije: 'No pasa nada'. Nunca creí que Arturo Brizio me fuera a expulsar, pensé en que sólo me iba amonestar.

Ya traía pique con Federico Lussenhoff desde el primer partido de la Final en Neza. En ese juego nos tirábamos de trancazos; él algunas veces me escupió.

"Claudio es un ser humano que está lleno de emociones; si él ha hecho una acción agresiva es porque de alguna manera el deporte lo permite, es un juego de contacto"

Hugo Hernández

Técnico de futbol

En el Jalisco, como en el minuto 69, Lussenhoff se fue de delantero, él se me pegaba, me daba de patadas; la verdad me desesperé y lo desconté. Nadie miró el golpe que le di en la cara, lo que pasa es que lo vieron tirado, bañado de sangre. Lógico que el árbitro Brizio me expulsó, quien sabía que teníamos pique, ya nos había dicho: 'Cálmense, cálmense'.

Me metí al vestidor y a los pocos minutos salí a la banca, viendo el juego antes del festejo, la cancha estaba casi invadida por la afición".

Pegadito ▲

Arriba, Claudio presiona a Francisco Palencia en la cancha del Estadio Jalisco.
Derecha, en la Final ante Toros Neza, Claudio perdió por un momento el control de sí mismo que le costó irse a las regaderas antes de tiempo.

TEQUILA
verPromex
TEQUILA
ESTRELLA
ESTRELLA
La Cerveza Tapatía
SERIES
Gillette SensorExcel
MEXLUB

Udicuenta
PAPILLON
TERRANOVA
Corona
ESTRELLA
Gillette
Ahora al Alcance de Todos
MEXLUB

La amistad pase lo que pase ▲

Claudio con "Zague" (de izquierda a derecha), Javier Aguirre y Luis Hernández.

La etapa de Claudio en Chivas fue determinante para que él se consolidara como una imagen prototipo del jugador mexicano.

Fue un tiempo de apogeo futbolístico que compartió con Alberto Coyote y Ramón Ramírez. A su lado se hicieron de "nombre": Joel Sánchez, Paulo César "Tilón" Chávez, Felipe de Jesús Robles, Manolo Martínez, Gustavo Nápoles, Gabriel García, Noé Zárate e Ignacio Vázquez.

La característica de las Chivas de ese entonces radicaba más en jugar como equipo que en lo individual. Era espectacular porque tomaba la pelota y atacaba aunque no se dieran los goles; era muy vistoso.

Un par de torneos más adelante llegaron a Chivas Ricardo Peláez, Luis García y Jesús "Cabrito" Arellano. Juntos estuvieron para el Torneo de Invierno del 98. Ellos, en compañía del equipo le dieron un toque de mayor altura a las Chivas. Juntos llegaron a otra Final, pero ahora ante el Necaxa.

"Fue un golpe muy duro de superar, hasta la fecha me sigo lamentando porque caigo en el hubiera. Son cosas que si no se hicieron en el lugar ya no puedo hacer nada.

Creo que tuvimos más oportunidades de lograr el campeonato que contra Toros Neza. Éste también fue un buen torneo. Quedamos cuarto lugar en la tabla de posiciones y después pasamos a la Final. El primer partido en el Estadio Azteca, Chivas jugó bien con un marcador de 0-0.

Llegamos al Jalisco con el deseo de que teníamos que ganar; no llevábamos ninguna desconfianza de un gol en contra, era un marcador favorable. Ya se habían hecho los preparativos de las fiestas, al contrario del Verano 97 que no se tenía nada preparado.

En el primer tiempo nosotros esperamos al Necaxa, para impresionarlo y anotar mínimo aunque fuera un gol. Un remate de Manolo Martínez que pega en la esquina del poste, recorre la portería y no se mete. Luego yo en un balón que me baja "Tilón" Chávez, de un tiro de esquina, disparo como venía, cruza y pega en el poste y no

"A Alberto Coyote sí lo sentía muy mal en la Final que perdimos; a él sí le daba ánimo. Yo creo que a veces ante un dolor tan grande lo mejor es guardar silencio"

Claudio

Las 10 estrellas ◄

Página anterior, jóvenes del Guadalajara que llevaron a Chivas al campeonato. De izquierda a derecha Camilo Romero, Alberto Coyote, Ramón Ramírez, Joel Sánchez, Gabriel García, Manolo Martínez, Paulo César Chávez, Noé Zárate, Claudio, Martín Zúñiga y Gustavo Nápoles.

entra. Después viene el penal y el que se atreve a tirarlo es Alberto Coyote y desgraciadamente lo falla. Con esos intentos tuvimos la oportunidad de irnos arriba en el marcador, pero no fue así.

Para el segundo tiempo salimos con una presión que no supimos manejar. Nos sentimos con la necesidad de ganarlo a como dé lugar y seguimos presionando, pero ya no con esa intensidad.

Bajamos el ritmo, estábamos un poco cansados y con mucha tensión. De repente nos equivocamos al estar atacando y nos agarran en un contragolpe; estábamos mal parados.

Viene Salvador Cabrera del Necaxa con el balón y un poco lejos tira a la portería. Creo que Martín Zúñiga no esperaba esa pelota, lo agarró mal parado, porque no alcanza a llegar, ese gol nos efectó mucho.

Con esa ventaja Necaxa se plantó mejor atrás. Nosotros insistíamos, pero con la prisa nos liquidan con el segundo. Le dan la pelota a Héctor "Pirata" Castro en un saque de banda, él se precipita, intenta dar un pase cruzado en vez de ir de frente o por su mismo lado, le pega muy mal y la recibe Carlos Hermosillo dentro de nuestra área. Cuando pensamos que iba a tirar nos paramos y él se la pasa a Sergio Vázquez y ahí nos liquidaron. Nos dolió mucho.

Recuerdo que vino mi familia, nos fuimos a comer junto con Alberto Coyote; él no quería saber nada, ni salir de su casa, estaba muy deprimido porque se sentía culpable por el penal fallado. Poco a poco nos fuimos desahogando, fue muy duro, porque nos sentíamos campeones".

Final trágica ▲

Claudio lucha contra Carlos Hermosillo en la Final del Torneo de Invierno 98.

Abajo, con el deseo de buscar otro campeonato Chivas se reforzó con Ramón Morales.

"El nunca peleó nada de liderazgo, ni fama. Él es sencillo y humilde en el aspecto más positivo que pueda haber. Consciente de que tenía que trabajar, entrenar"

Ricardo Ferretti

Técnico de futbol

El silencio en el vestidor fue sepulcral. Nadie tenía el valor de levantar la mirada. Todos habían cometido errores suficientes para dar ventaja a los Rayos que descargaron su astucia y paciencia en la cancha.

A Ricardo "Tuca" Ferretti le cambió el rostro. No se veía enojado, ni molesto, sino derrotado. Pero como líder tenía que dar la cara ante los medios con apariencia de tranquilidad que nadie le creyó. Se veía quebrado. Intentó dar ánimo a sus pupilos con la señal de estar peor que todos.

"Ferretti nos felicitaba y nos decía: 'Este equipo es un equipo grande, unido, armónico. Me siento orgulloso de tenerlos a todos ustedes'.

La verdad no quedó en nosotros porque finalmente le echamos todas las ganas. Fueron circunstancias en las que cometimos errores.

"Es una leyenda viviente; su trayectoria y trabajo no va a quedar desapercibido; siempre estará en el récord del futbol mexicano"

Gustavo Nápoles

Ex jugador de futbol

"América tiene muchos seguidores, pero los que no le van lo odian y en Chivas es muy querido porque aficionados que le van a Cruz Azul, Pumas, Tigres cuando juega Chivas le van al Guadalajara por lo que significa tener puros mexicanos"

Claudio

Al otro día tuvimos una reunión de 15 minutos en la que nos comunicaron los planes de vacaciones. Ahí miré el dolor, la tristeza de todos. Muchos no quisieron tocar el tema del partido.

Recuerdo que se iba a hacer un festejo muy grande, se suspendió todo porque nadie tenía ánimo de ir a una fiesta para festejar el segundo lugar; nadie quiso".

Martínez Garza como presidente del equipo no les dijo nada. Él casi nunca bajaba a los vestidores, ganaran o perdieran. Prefería respetar los espacios vitales de sus jugadores; él consideraba sus límites y uno de ellos era no meterse en una privacidad que no era suya.

Siempre entendió que había un terreno que no debería pisar y se mantuvo en esa decisión aunque sus subordinados no lo siguieran. Eso ayudó a que el equipo se sintiera en confianza y respondieran, a quien les pagaba, con resultados favorables no obstante las inversiones grandes.

El paso de Claudio por Chivas lo consolidó como una figura nacional digna de ser imitada. El Guadalajara le permitió mostrarse de qué madera estaba hecho, suficiente escenario para permanecer en la Selección y ser atraído por unos Tigres ávidos de conocer qué se sentía estar en la Final de un campeonato.

"Por lo que él representa, me atrevo a decir que era el mejor jugador de México; es un ejemplo"

Ricardo Ferretti

Técnico de futbol

Vuela ante las Águilas ▶

Claudio muestra recursos técnicos que le distinguieron en el panorama del futbol nacional. Página anterior, Claudio busca el balón ante la salida de Oswaldo Sánchez cuando éste defendía la portería del América.

Una mirada al mundo

Los tres colores y un águila

Claudio llegó a la Selección Nacional de rebote. En la primera lista del 91 había otros jugadores que César Luis Menotti consideraba más aptos que el defensa de Pumas.

Para 1992, Claudio tenía cuatro años de experiencia en el futbol profesional, pero sin ser suficientes para inquietar la visión futbolísticas de quien llegó a México con la promesa de clasificar al Tricolor al Mundial de Estados Unidos 94 y por si fuera poco, con la ilusión de ser campeón del mundo.

En la mente del argentino existían mejores que Claudio, pero algo ocurrió con ellos en el Tricolor que el experimentado técnico tuvo que dar su brazo a torcer.

"Si tengo algún mérito es en haber insistido en sus cualidades y en su valor. Siento por Claudio un cariño y profundo respeto"

César Luis Menotti

Técnico de futbol

Jorge Campos y Miguel Mejía Barón le confesaron a Menotti un secreto. Ellos le solicitaron que considerara al joven defensa quien en la vida cotidiana podía pasar desapercibido, pero no en la cancha; ambos metieron las manos al fuego por Claudio.

"Menotti se fijó en mí en parte por un poco de recomendación. Él no sabía mucho del futbol mexicano, de hecho Menotti fue a Pumas y habló con Ricardo "Tuca" Ferretti y luego empezó a tener una buena relación con Mejía Barón.

Jorge Campos y Mejía Barón me recomendaron, porque se había lesionado Juan de Dios Ramírez Perales. Yo jugaba de lateral, lo que pasa es que cuando Abraham Nava o Ramírez Perales no estaban en algunos partidos en Pumas, Mejía Barón me metía de central. A Campos le gustaba porque decía que yo jugaba bien en esa posición. Menotti no identificaba a algunos de los convocados; cuando me llamó por vez primera no sabía bien mi nombre y me decía: 'Éste muchacho, el muchacho'".

El técnico del Tricolor nunca se arrepintió de haberlo llamado, porque sin saberlo ponía las bases para que Claudio desarrollara, en un ambiente propicio, sus cualidades de fortaleza, dedicación, perseverancia, valor, paciencia, ayuda y lucha.

En buenas manos

César Luis Menotti fue quien le dio la oportunidad a Claudio de consolidarse como titular del Tricolor desde su primer viaje a Europa en 1992.

El "Flaco" Menotti debutó a Claudio el 26 de julio del 92 ante El Salvador. Le dio chance de vestir la camiseta 45 minutos en un encuentro que los mexicanos ganaron 2-1. Después Claudio acompañó al equipo a Los Ángeles ante Brasil en una histórica derrota de 5-0. Menotti buscaba

Jóvenes aún ▲

Claudio (de izquierda a derecha) junto con Nacho Ambriz, Alberto Coyote y Misael Espinoza. Abajo, Claudio se estrenó en la Copa América Ecuador 1993 con una fuerte lesión en el tobillo derecho.

en la banca quien pudiera ayudar a los de la cancha, pero Claudio aún no tenía el tamaño ni la grandeza para salir al quite. De ahí todo fue mirar hacia adelante; el gusto por vestir la camiseta nacional, con buenas y malas, con triunfos y derrotas le duró al oriundo de Texcoco 14 años.

Claudio logró consolidarse con la playera de la Selección contra Rumania. En casa de los rumanos a Claudio le metieron, por error de marcación, un gol. Cuando cometió la falla él no se inmutó: evitó jalarse los cabellos, mirar al cielo o algo que demostrara que estaba arrepentido. Claudio tan sólo siguió en el juego como si no hubiera pasado nada; esa actitud lo hizo diferente ante el experimentado técnico argentino quien a partir de ese momento lo alinearía en la gira y no lo dejaría más sin convocar.

"La lista de seleccionados para una gira a Europa la escuché en el programa de televisión Deportv. No salí en ella, pero algo ocurrió porque al día siguiente me hablaron de la Federación Mexicana de Futbol para decirme que me iba con el Tricolor. Estaba el problema de los lesionados y algunos de los titulares no quisieron viajar por cuestión de contratos con sus equipos, eso abrió la oportunidad de que Menotti escuchara recomendaciones.

En la gira no se jugó ante Polonia, pero en un partido contra Rumania, entré y cometí un error de gol, yo seguí jugando normal y luego Menotti me dijo: 'Me gusta su personalidad, me gustan esos jugadores que cometen errores y que no se preocupen', le caí bien".

Menotti se fue en el 92, dejó de paso una mentalidad y personalidad al equipo nacional. Llegó en su lugar Miguel Mejía Barón, quien sólo le dio a Claudio continuidad en el representativo nacional, a fin de cuentas él le había dado la oportunidad de probar suerte en el futbol de Primera División con la playera de los Pumas.

"Jamás lo noté temeroso, manejaba la cancha con gran tranquilidad. Siempre tuvo el coraje para salir jugando hacia delante con el balón"

César Luis Menotti

Técnico de futbol

La inocencia

Acudió México a su primera Copa América. El mes de junio de 1993 será señalado como el gran paso que dio el futbol mexicano en el ámbito del balompié mundial. Nadie, ni aún los nuestros creían en que el Tricolor tuviera la altura para competir de tú a tú contra las selecciones de Sudamérica. Esa visión la cambió la anterior administración de la Federación Mexicana, que luchó por darle un aire distinto al conjunto mexicano fuera del ámbito centroamericano y del caribe.

Ya en Ecuador, Claudio vivió una lesión que lo llevaría al quirófano tres meses después. En el juego ante Bolivia, Marco Antonio Sandy lesionó a Claudio, quien no pudo mover con prontitud el pie de apoyo, en una pared con David Patiño. Sandy se lanzó sobre el tobillo derecho para quebrarlo como lo había hecho, en ese mismo certamen, con el argentino Darío Franco: "Le faltó colmillo y experiencia a Claudio", dice Mejía Barón, "esa jugada fue de mala leche y Claudio fue demasiado ingenuo".

Claudio consiguió el subcampeonato en ese torneo ante Argentina; jugó como Dios le dio a entender y todavía tuvo cuerda para ir a la Copa de Oro e iniciar el torneo de Liga de ese mismo año. Los dolores le aguantaron hasta el 27 de septiembre del 93 cuando los doctores de Pumas tuvieron que unir los ligamentos del tobillo derecho en una operación que duró 120 minutos.

Enfrenta reto

El mundial de Estados Unidos 94 estaba a casi un año de distancia, tiempo suficiente para que Claudio regresara a jugar después de la intervención quirúrgica. Él se recuperó y tuvo la fortuna de escuchar el himno nacional ante Noruega, Irlanda e Italia y en Octavos de Final, contra Bulgaria, donde los mexicanos se quedaron con las caras largas por no pasar a la siguiente ronda.

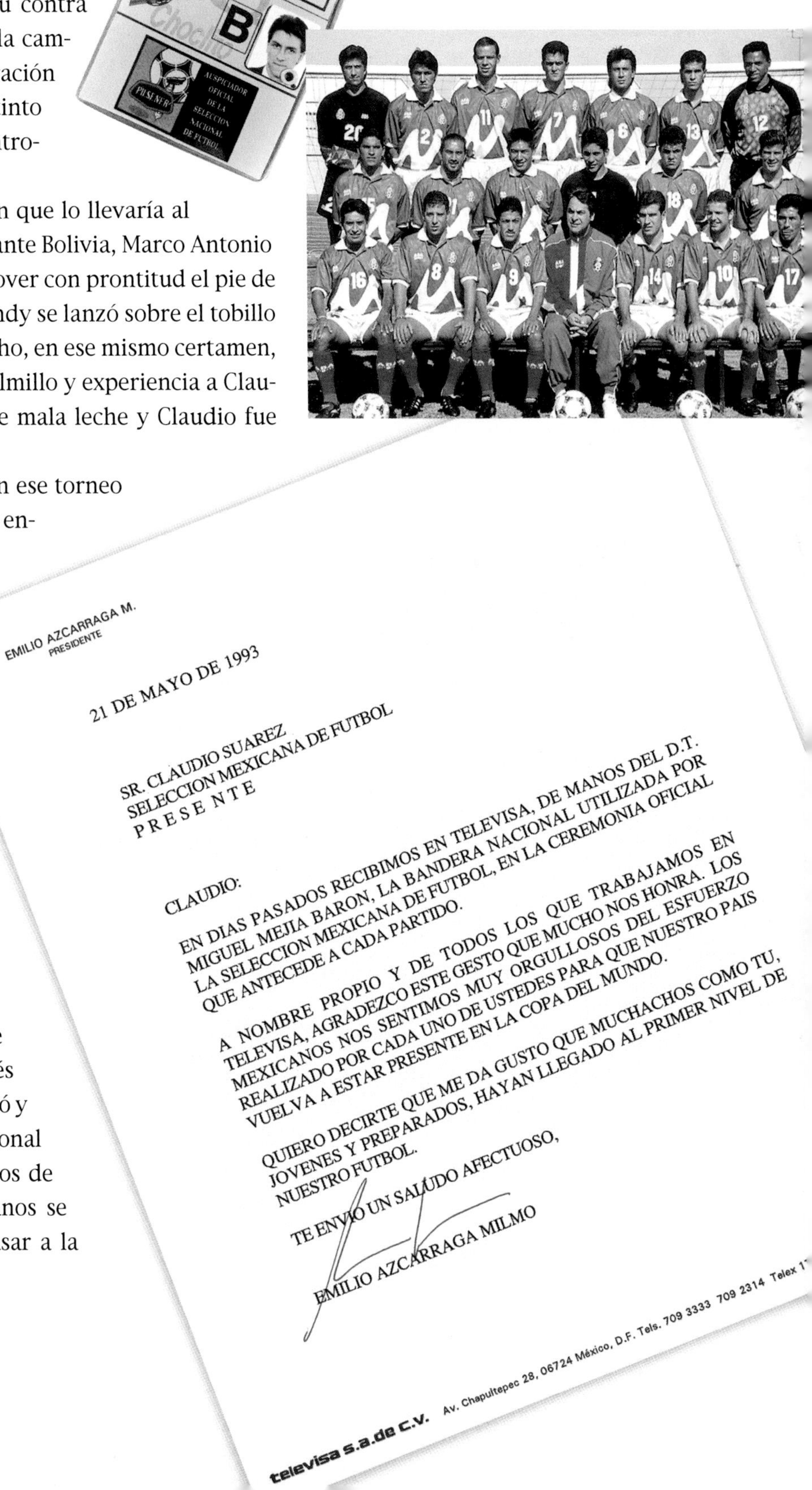

EMILIO AZCARRAGA M.
PRESIDENTE

21 DE MAYO DE 1993

SR. CLAUDIO SUAREZ
SELECCION MEXICANA DE FUTBOL
P R E S E N T E

CLAUDIO:

EN DIAS PASADOS RECIBIMOS EN TELEVISA, DE MANOS DEL D.T. MIGUEL MEJIA BARON, LA BANDERA NACIONAL UTILIZADA POR LA SELECCION MEXICANA DE FUTBOL, EN LA CEREMONIA OFICIAL QUE ANTECEDE A CADA PARTIDO.

A NOMBRE PROPIO Y DE TODOS LOS QUE TRABAJAMOS EN TELEVISA, AGRADEZCO ESTE GESTO QUE MUCHO NOS HONRA. LOS MEXICANOS NOS SENTIMOS MUY ORGULLOSOS DEL ESFUERZO REALIZADO POR CADA UNO DE USTEDES PARA QUE NUESTRO PAIS VUELVA A ESTAR PRESENTE EN LA COPA DEL MUNDO.

QUIERO DECIRTE QUE ME DA GUSTO QUE MUCHACHOS COMO TU, JOVENES Y PREPARADOS, HAYAN LLEGADO AL PRIMER NIVEL DE NUESTRO FUTBOL.

TE ENVIO UN SALUDO AFECTUOSO,

EMILIO AZCARRAGA MILMO

televisa s.a. de c.v. Av. Chapultepec 28, 06724 México, D.F. Tels. 709 3333 709 2314 Telex

Atento al rival

Una de las virtudes de Claudio es que permanece concentrado la mayor parte del juego. Aquí intenta frenar el avance del italiano Guissupe Signori en el Mundial del 94.

"Claudio es símbolo y leyenda viviente; él es un parámetro para el futbol mexicano y del mundo. No es fácil mantenerse en el alto nivel en el que ha estado"

Hugo Sánchez

Técnico de futbol

El papel de México en ese Mundial fue sobresaliente aunque la crítica de los medios de comunicación se centró contra la decisión de Mejía Barón de no hacer cambios cuando los búlgaros, que según los expertos, estaban sin aliento en los tiempos extras.

Hugo Sánchez había jugado bien ante Noruega y todo parecía que repetiría alineación, pero no sucedió como se esperaba. Mejía Barón no lo incluyó a pesar de la molestia de Hugo.

Poco antes de que se diera por finalizado el encuentro ante Bulgaria y se fueran a la serie de penaltis se presentó la oportunidad de que Hugo entrara a la cancha. Mejía Barón le dio la instrucción en lugar de quién entraría y Hugo prefirió hacerse a un lado.

"Hugo siempre se portó como un profesional; de seguro estaba que se lo llevaba la tristeza por no jugar desde el inicio. Supuestamente se contradijo porque iba a entrar por Benjamín Galindo y Hugo dijo: 'Cómo voy a jugar atrás, no entro'. Me pregunto: '¿A quién cambiaba Mejía Barón?', le busco y no encuentro. En la defensa era muy arriesgado, en la media estaba Nacho Ambriz, García Aspe, Marcelino Bernal y Benjamín Galindo; '¿Quién debe salir?' No podía sacar a Zague, porque andaba muy bien, él provocaba las descolgadas. En la banca estaban Carlos Hermosillo, Misael Espinoza, Juan Carlos Chávez y Luis Miguel Salvador.

Por eso critican a Mejía Barón, pero si lo analizo, veo a los que están y digo: 'Éstos tiran bien los penales, Galindo, Aspe, Ambriz, Bernal'.

Creo que los búlgaros esperaban que nosotros nos lanzáramos para hacernos un contragolpe; de hecho el gol que nos

CARLOS SALINAS DE GORTARI
PRESIDENTE CONSTITUCIONAL DE LOS ESTADOS UNIDOS MEXICANOS

24 DE JUNIO DE 1994

CLAUDIO SUÁREZ.
SELECCIÓN MEXICANA DE FUTBOL

LE ENVÍO MIS MÁS SINCERAS FELICITACIONES POR SU BRILLANTE DESEMPEÑO EN EL PARTIDO CELEBRADO EL DÍA DE HOY CONTRA IRLANDA. LA VICTORIA DEL SELECCIONADO NACIONAL NOS PERMITE CONTINUAR EN LA CONTIENDA Y REPRESENTA UN ESTÍMULO PARA TODOS LOS MEXICANOS.

LE FELICITO PARTICULARMENTE POR SU VALIO ACTUACIÓN EN LA DEFENSA ANTE LOS ATAQUES DEL EQU IRLANDÉS, DEMOSTRANDO CON ESTO SU CAL FUTBOLÍSTICA.

ASIMISMO, LE REITERO MI APOYO Y MIS MEJORES DE QUE NUESTRA SELECCIÓN CONTINÚE REPRESENT MÉXICO TAN DIGNAMENTE COMO HASTA AHORA LO HA CON ESA ENTREGA Y ENTUSIASMO QUE HAN EMOC TODOS LOS MEXICANOS.

hacen nos agarran mal parados. Ahí me equivoco porque quiero salir en vez de tirarme un poco atrás. Ramírez Perales no llega, pero aparte Hristo Stoichkov mete un golazo, casi le vuela la cabeza a Jorge Campos.

El futbol es de momentos, yo creo que para mí eso fue lo indicado, para Hugo a lo mejor Mejía Barón debió haber arriesgado, sacar dos delanteros y meter a otros dos delanteros.

Muchas veces sacan a alguien de la defensa para meter a un delantero y arriesgan a que si hacen otro gol pues ya ni modo. En el Mundial íbamos con un empate, pero si arriesgábamos y perdíamos nos iban a decir: 'No, pues la regaron, les faltó manejo del partido'".

El silencio

La derrota caló en lo más profundo a cada jugador y de refilón a los millones de aficionados que desde México sentían lo duro y lo tupido de la desilusión. Fue un 5 de julio para olvidar. En el vestidor no había más que monólogos: "Pudimos haber ganado, dimos nuestro mejor esfuerzo, si yo hubiera entrado, si hubiera tirado el penal de otra forma".

Tristeza entre mexicanos ▲

El Mundial del 94 enseñó a los futbolistas mexicanos a levantarse de la derrota.

"Recuerdo que me fui directamente al vestidor; iba muy pensativo con el dolor de haber quedado eliminado, muchos se quedaron en la cancha llorando. Los que entrábamos al vestidor no nos decíamos nada, prácticamente ahí se rompió la concentración, cada quien hizo lo que quiso. Yo me quedé en Nueva York; me duró casi un mes asimilar la derrota, pues recordaba y recordaba.

Son momentos únicos en la vida en los que ya no vas a tener esa gran oportunidad de pasar a la historia y uno con la derrota a cuesta. Veía los partidos del Mundial; Bulgaria quedó en tercer lugar, le ganó a Alemania, tenía un gran equipo. De hecho nos ayudó que sus jugadores clave no estuvieran contra nosotros; ese equipo estaba bien trabajado y ha sido de los mejores que ha tenido en su historia. No era un rival cómodo.

"Es un símbolo del futbol mexicano; siempre que me lo encuentro es grato abrazarlo"

Ricardo Peláez

Ex jugador de futbol

Creo que al principio nos benefició mucho el ambiente en Estados Unidos y las canchas que parecían nuestra casa. Cuando jugamos contra Irlanda, en Orlando hacía un calor tremendo, ahí sacamos cierta ventaja; en Washington estaba haciendo mucho calor contra Italia y Noruega y siento que nos beneficio más, pero creo que en Nueva York contra Bulgaria no, no hacia mucho calor, estaba normal".

El fantasma de los penales

Después del Mundial del 94 la Selección Nacional entró en un laberinto. El Tricolor experimentó una racha con Mejía Barón no bien vista. La primera versión de la Copa Confederaciones, Copa del Rey Fahd en enero del 95, se jugó en Arabia Saudita. El equipo hizo un buen papel (dos empates y una victoria), pero perdieron justo en Semifinales, otra vez en una serie de penales, ahora contra Dinamarca. A Claudio le tocó sacar la casta, se mantuvo sereno y con goles.

"Ganábamos 1-0 y faltaba un minuto, nos echan un pelotazo y nos empatan y nos vamos directo a penales y perdemos; ahí se ejerce una gran presión. Cuando vamos a pelear por el tercer lugar frente a Nigeria nos toca otra vez irnos a penales para definir el tercer lugar y ahí logramos vencer el miedo. A mí me toca tirar contra Dinamarca y lo meto; contra Nigeria yo cierro la serie y ganamos".

Más rápido ▼

Claudio viaja tranquilo y sonriente en un transporte típico en Arabia Saudita.

Sin contrato

Para mediados del mes de junio Claudio va a la Copa América 95 en Uruguay. Con la probabilidad de una lesión, Claudio se arriesga, sin contrato con Pumas, para no bajarse del compromiso con la Selección: buscaba continuidad y aumentar su experiencia.

En ese entonces empezaron las fricciones en la Selección. Hacia el interior se formaron dos grupos: los de Guadalajara contra los del Distrito Federal. La división se observaba desde cerca y lejos en los entrenamientos. Y para agravar la situación la gente del pantalón de la Federación falló al escoger el lugar de hospedaje para el Tricolor.

"En Punta del Este los directivos se equivocan al escoger el hotel de concentración, estaba en muy malas condiciones. Hacía demasiado frío, no había agua caliente, no nos podíamos bañar, apenas salía un chorrito. La cancha de entrenamiento estaba enfangada de forma impresionante. El hotel no tenía protección, salíamos de la habitación directamente al aire.

Entonces hubo muchas cosas negativas y sobre todo se juntó con que entre nosotros no había un buen ambiente; existían críticas, en especial contra Mejía Barón.

A pesar de eso calificamos y que nos toca jugar contra Estados Unidos y empatamos. Nos fuimos a penales y perdemos. Ahí fue en donde se acabó ese proceso con Miguel, a quien le dieron las gracias. La decisión que tomaron los directivos fue algo lamentable.

Algunos llevamos familia y nos regresamos en otro grupo. Los encargados de ver por nosotros dentro de la Federación Mexicana nos dijeron: 'Arreglen como puedan sus boletos de avión'. Y nos dejaron tirados, estaban muy molestos".

Copa Confederaciones ▲

Un momento de alegría por el Medio Oriente. Claudio y Joaquín del Olmo (de izquierda a derecha), Alberto García Aspe, Jorge Campos, Luis García y Nicolás Navarro.

La seducción

Ahí se termina una etapa y viene otra con Bora Milutinovic. El primer problema que tiene que encarar el grupo del nuevo técnico del Tricolor es la convocatoria de porteros a los Juegos Olímpicos del 96.

Carlos de los Cobos cabeza del equipo aprovecha el reglamento para convocar a tres jugadores mayores de 23 años. Uno de ellos Luis García, el otro Claudio y Jorge Campos, la manzana de la discordia.

"Ahí hubo un conflicto porque no estaban de acuerdo de que fuera Jorge Campos porque estaba Oswaldo Sánchez y Óscar "Conejo" Pérez, quienes decían: 'No es necesario que venga Jorge'.

Entonces hubo malestar sobre todo entre los porteros, pero finalmente se resolvió; le respetaron la trayectoria a Jorge.

Me toca participar y creo que fueron unas buenas olimpiadas en Atlanta. Los rivales que nos tocaron fueron Corea, un equipo muy bien ordenado, con ellos se empató; a Italia se le ganó 1-0. Y luego vino Ghana, por cierto sus jugadores cómo nos hicieron sufrir.

Recuerdo a unos delanteros rapidísimos y fuertes. Yo jugaba la

"Yo pienso que Claudio desde que jugaba en Pumas y después en la Selección Nacional ha demostrado gran calidad dentro y fuera de la cancha"

Bora Milutinovic

Técnico de futbol

"Tiene un sentido de colocación extraordinario, con una noción de cobertura como cualidad; por eso es un orgullo"

Bora Milutinovic

Técnico de futbol

central con Duilio Davino y nos traían de un lado a otro, empatamos a uno. Pasamos a la siguiente ronda y nos toca contra Nigeria que serían los campeones de los Juegos.

Ese también fue un partido complicadísimo. Nigeria traía muchos jugadores que no sé si daban la edad; entre los refuerzos estaban Amocachi, Okocha y Kanú. Contra ellos expulsan a Davino, íbamos un gol abajo. Nos dio por arriesgar y con un contragolpe nos meten el segundo; quedamos fuera".

Para ese entonces a Claudio ya le había llovido duro y ligero, bonito y feo. La experiencia le marcaba nuevos rumbos en la vida del futbol, pero aún le hacía falta tratar con aquellos que se aprovechan, de manera ilícita, de las competiciones.

En el hotel de concentración en Birmingham un sujeto, con finta de promotor, se acercó a Jorge Campos y a un grupo de jugadores para "arreglar" el partido contra Nigeria. Les bastó con una propuesta indecorosa para darse cuenta de que los caminos de la honestidad, aunque se pierda, son los correctos: mejor comer frijoles con arroz.

"A Jorge Campos se le acercaron unos señores que trataron de sobornarlo, ofreciéndole dinero. Uno de ellos le dice a Jorge: 'Quiero hablar contigo'. Se la manejó que era representante y ya en la habitación le dijo: 'Mira ¿cuánto quieren por ganar?' y Campos se sorprendió: '¿Cómo?', y él le respondió: 'Necesito hablar con Luis García y Claudio Suárez'. Y Campos señala a David Oteo y dice: 'Él es Claudio Suárez'. Empieza a decir: 'Les damos 30 mil dólares a cada uno de ustedes y a los demás 5 mil dólares, pero díganles que ganen'. Campos se sorprendió y le contesta: '¿Cómo que porque ganemos si estamos seguros de que vamos a ganar'? El tipo dice: 'Tú recibe el dinero y nosotros nos encargamos de hablar con Nigeria'.

Primero dicen ellos que por ganar y luego cambian la idea.

Aquellos salen bien espantados y yo le digo a Jorge: 'No te acerques', y él me pregunta:

Los cinco aros ▲

Claudio participó en los Juegos Olímpicos de Atlanta en 1996; su técnico fue Carlos de los Cobos. Derecha, Claudio también jugó la Copa Kirin en Japón en 1998. La revista oficial del torneo publica la imagen de dos figuras mexicanas.

'¿Pues qué hacemos?', y le digo: 'Hay que decirle a alguien de la Federación Mexicana, es un asunto muy delicado, se agarra algo y ya para salir de ahí está muy complicado'. Nunca me había pasado algo así.

Campos va con el delegado Alejandro Burillo y los empiezan a investigar. Éste cuate se desapareció. Llegamos a la conclusión de que eran apostadores; nos dijeron que habían hablado con gente de Nigeria. Estábamos en Birmingham, los demás deportistas en Atlanta".

Por poco ▲

Claudio busca frenar a Rivaldo en un encuentro disputado en el Estadio Jalisco.
Abajo, persigue al brasileño Ronaldo en un partido de la Copa América 97.

Siempre dispuesto

La Copa América Bolivia 97 llegó en el justo proceso de clasificar al Mundial 98.

Algunos de los seleccionados estaban cansados de participar en la Liga y en el Tricolor sin darle al cuerpo una merecida distracción.

Cuando Bora hizo la convocatoria para ir a Sudamérica algunos de "altura" le dijeron a él que necesitaban pasearse con la familia antes de que la situación estallara en sus hogares. Bora los entendió, sin embargo, era necesario que insistiera a otros para que la representación en Bolivia fuera decorosa.

"Bora me habla a la casa y me dice casi casi rogándome: 'Necesito que vengas a la Selección'. Me sorprendió pues decía: 'Que dé la lista y ya', pero me llamó la atención el detalle, él me dijo: 'Es que muchos ya me dijeron que no quieren venir porque están cansados'.

Yo también no deseaba ir porque me sentía mentalmente fatigado. Fue la etapa en que ganamos el campeonato con Chivas. Finalmente le digo a Bora: 'Sí, no hay problema, yo voy'; él llama casi a puro joven, algunos pasaban por un buen momento.

Luis Hernández, Adolfo Ríos, era la gente con experiencia y buscaban aprovechar una oportunidad en la Selección. Los demás eran

"Él es una excelente persona además que siempre fue el estandarte en la Selección Nacional"

Luis Miguel Salvador

Ex jugador de futbol

Claudio: sus núm

CON LA SELECCION NACIONAL

Debut: 26 de Julio de 1992, El Salvador vs México 1-2

Trayectoria con la Selección: Copas América 93, 95, 97 y 99 y 2004

Mundiales: Estados Unidos 94, Francia 98 y Alemania 2006

Juegos Olímpicos: Atlanta 96

Copa Confederaciones: 95, 97 y 99

Copa de Oro: 93, 96 y 98

TÍTULOS INTERNACIONALES CON EL TRI:

Subcampeón de la Copa América en 1993.

Campeón de la Copa de Oro (CONCACAF) 93, 96 y 1998.

Campeón Copa FIFA Confederaciones México 99.

Tercer lugar Copa América Bolivia 97.

Tercer lugar Copa América Paraguay 99.

Campeón de la Copa USA en 1996, 1997 y 1999

Campeón Copa Carlsberg Hong Kong 1999

PARTICIPACIÓN EN SELECCIÓN RESTO DEL MUNDO

Primera Convocatoria	18 de agosto de 1997. Moscú, Rusia.
Segunda Convocatoria	17 de abril de 1999. Johannesburgo, Sudáfrica
Tercera Convocatoria	25 de abril de 2000. Sarajevo, Yugoslavia

CITLALLIS

1995-96	Mejor Defensa Central
Invierno 96 y Verano 97	Mejor Defensa Central
Invierno 99	Mejor Defensa

SUS 178 PARTIDOS CON LA SELECCIÓN ANTE REPRESENTATIVOS NACIONALES

	Fecha	Sede	Marcador	Carácter
1	25/07/1992	San Salvador, El Salvador	México 2-1 El Salvador	
2	02/08/1992	Los Ángeles, California	México 0-0 Colombia	
3	16/08/1992	Moscú, Rusia	México 0-2 Rusia	
4	19/08/1992	Sofía, Bulgaria	México 1-1 Bulgaria	
5	6/08/1992	Bucarest, Rumania	México 0-2 Rumania	
6	07/10/1992	Los Ángeles, California	México 2-0 El Salvador	
7	14/10/1992	Dresden, Alemania	México 1-1 Alemania	
8	2/10/1992	Zagreb, Croacia	México 0-3 Croacia	
9	08/11/1992	Kingston, San Vicente	México 4-0 San Vicente	Eliminatoria
10	15/11/1992	México, D. F.	México 2-0 Honduras	Eliminatoria
11	22/11/1992	México, D. F.	México 4-0 Costa Rica	Eliminatoria
12	29/11/1992	San José, Costa Rica	México 0-2 Costa Rica	Eliminatoria
13	06/12/1992	México, D. F.	México 11-0 San Vicente	Eliminatoria
14	13/12/1992	Tegucigalpa, Honduras	México 1-1 Honduras	Eliminatoria
15	20/01/1993	Florencia, Italia	México 0-2 Italia	
16	27/01/1993	Las Palmas, España	México 1-1 España	
17	10/02/1993	Monterrey, N.L.	México 2-0 Rumania	
18	04/04/1993	San Salvador, El Salvador	México 1-2 El Salvado	Eliminatoria
19	11/04/1993	México, D. F.	México 3-0 Honduras	Eliminatoria
20	25/04/1993	México, D. F.	México 4-0 Canadá	Eliminatoria
21	02/05/1993	Tegucigalpa, Honduras	México 4-1 Honduras	Eliminatoria
22	09/05/1993	Toronto, Canadá	México 2-1 Canadá	Eliminatoria
23	10/06/1993	México, D. F.	México 3-1 Paraguay	
24	16/06/1993	Machala, Ecuador	México 1-2 Colombia	Copa América
25	20/06/1993	Guayaquil, Ecuador	México 1-1 Argentina	Copa América
26	23/06/1993	Portoviejo, Ecuador	México 0-0 Bolivia	Copa América
27	27/06/1993	Quito, Ecuador	México 4-2 Perú	Copa América
28	30/06/1993	Quito, Ecuador	México 2-0 Ecuador	Copa América
29	04/07/1993	Guayaquil, Ecuador	México 1-2 Argentina	Copa América
30	11/07/1993	México, D. F.	México 9-0 Martinica	Copa de Oro
31	15/07/1993	México, D. F.	México 1-1 Costa Rica	Copa de Oro
32	18/07/1993	México, D. F.	México 8-0 Canadá	Copa de Oro
33	22/07/1993	México, D. F.	México 6-1 Jamaica	Copa de Oro
34	25/07/1993	México, D. F.	México 4-0 E.U.	Copa de Oro
35	08/08/1993	Maceio, Brasil	México 1-1 Brasil	
36	19/01/1994	San Diego, California	México 1-1 Bulgaria	
37	26/01/1994	Oakland, California	México 1-5 Suiza	
38	02/02/1994	Oakland, California	México 1-4 Rusia	
39	24/02/1994	Fresno, California	México 2-1 Suecia	
40	02/03/1994	México, D. F.	México 0-0 Colombia	
41	11/06/1994	Miami, Florida	México 3-0 Irlanda Nte.	
42	19/06/1994	Washington, D. C.	México 0-1 Noruega	Mundial 94
43	24/06/1994	Orlando, Florida	México 2-1 Irlanda	Mundial 94
44	28/06/1994	Washington, D. C.	México 1-1 Italia	Mundial 94
45	05/07/1994	Nueva York	México 0-0 Bulgaria	Mundial 94
46	14/12/1994	México, D. F.	México 5-1 Hungría	
47	06/01/1995	Riyadh, Arabia Saudita	México 2-0 Arabia Saudita	Confed.
48	10/01/1995	Riyadh, Arabia Saudita	México 1-1 Dinamarca	Confed.
49	13/01/1995	Riyadh, Arabia Saudita	México 1-1 Nigeria	Confed.
50	01/02/1995	San Diego, California	México 1-0 Uruguay	
51	29/03/1995	Los Ángeles, California	México 1-2 Chile	
52	21/06/1995	Washington, D. C.	México 0-0 Colombia	Copa USA
53	24/06/1995	Dallas, Texas	México 2-1 Nigeria	Copa USA
54	06/07/1995	Maldonado, Uruguay	México 1-2 Paraguay	Copa América
55	09/07/1995	Maldonado, Uruguay	México 3-1 Venezuela	Copa América
56	13/07/1995	Maldonado, Uruguay	México 1-1 Uruguay	Copa América
57	17/07/1995	Maldonado, Uruguay	México 0-0 E.U.	Copa América
58	11/10/1995	Los Ángeles, California	México 2-1 Arabia Saudita	
59	16/11/1995	Monterrey, N. L.	México 1-4 Yugoslavia	
60	30/11/1995	Los Ángeles, California	México 2-2 Colombia	
61	06/12/1995	Hermosillo, Sonora	México 1-2 Eslovenia	
62	11/01/1996	San Diego, California	México 5-0 San Vicente	Copa Oro
63	14/01/1996	San Diego, California	México 1-0 Guatemala	Copa Oro
64	19/01/1996	San Diego, California	México 1-0 Guatemala	Copa Oro
65	21/01/1996	Los Ángeles, California	México 2-0 Brasil	Copa Oro
66	18/05/1996	Chicago, Illinois	México 5-2 Eslovaquia	
67	23/05/1996	Shimizu, Yugoslavia	México 0-0 Yugoslavia	Copa Kirin
68	29/05/1996	Mori, Japón	México 2-3 Japón	Copa Kirin
69	08/06/1996	Dallas, Texas	México 1-0 Bolivia	Copa USA
70	12/06/1996	Nueva York	México 2-2 Irlanda	Copa USA
71	16/06/1996	Pasadena, California	México 2-2 E.U.	Copa USA
72	31/08/1996	París, Francia	México 0-2 Francia	
73	15/09/1996	Kingston, San Vicente	México 3-0 San Vicente	Eliminatoria
74	21/09/1996	San Pedro Sula, Honduras	México 1-2 Honduras	Eliminatoria
75	16/10/1996	México, D. F.	México 2-1 Jamaica	Eliminatoria
76	06/11/1996	México, D. F.	México 3-1 Honduras	Eliminatoria
77	20/11/1996	Los Ángeles, California	México 3-1 El Salvador	
78	17/01/1997	San Diego, California	México 3-1 Dinamarca	Copa USA
79	19/01/1997	Pasadena, California	México 2-0 Estados Unidos	Copa USA
80	22/01/1997	Pasadena, California	México 0-0 Perú	Copa USA
81	02/03/1997	México, D. F.	México 4-0 Canadá	Eliminatoria
82	16/03/1997	San José, California	México 0-0 Costa Rica	Eliminatoria
83	29/03/1997	Londres, Inglaterra	México 0-2 Inglaterra	
84	13/04/1997	México, D. F.	México 6-0 Jamaica	Eliminatoria

os en la Selección

	Fecha	Sede	Marcador	Carácter
85	20/04/1997	Foxboro, Estados Unidos	México 2-2 E.U.	Eliminatoria
86	30/04/1997	Miami, Florida	México 0-4 Brasil	
87	08/06/1997	San Salvador, El Salvador	México 1-0 El Salvador	Eliminatoria
88	13/06/1997	Santa Cruz, Bolivia	México 2-1 Colombia	Copa América
89	16/06/1997	Santa Cruz, Bolivia	México 2-3 Brasil	Copa América
90	19/06/1997	Santa Cruz, Bolivia	México 1-1 Costa Rica	Copa América
91	22/06/1997	Cochabamba, Bolivia	México 1-1 Ecuador	Copa América
92	25/06/1997	La Paz, Bolivia	México 0-2 Bolivia	Copa América
93	12/10/1997	Edmonton, Canadá	México 2-2 Canadá	Eliminatoria
94	02/11/1997	México, D. F.	México 0-0 E.U.	Eliminatoria
95	09/11/1997	México, D. F.	México 3-3 Costa Rica	Eliminatoria
96	16/11/1997	Kingston, Jamaica	México 0-0 Jamaica	Eliminatoria
97	12/12/1997	Riyadh, Arabia Saudita	México 1-3 Australia	Confed.
98	14/12/1997	Riyadh, Arabia Saudita	México 5-0 Arabia Saudita	Confed.
99	16/12/1997	Riyadh, Arabia Saudita	México 2-3 Brasil	Confed.
100	04/02/1998	Oakland, California	México 4-2 T. y Tobago	Copa Oro
101	07/02/1998	Oakland, California	México 2-0 Honduras	Copa Oro
102	12/02/1998	Los Ángeles, California	México 1-0 Jamaica	Copa Oro
103	15/02/1998	Los Ángeles, California	México 1-0 Estados Unidos	Copa Oro
104	15/04/1998	Los Ángeles, California	México 1-0 Perú	
105	09/05/1998	Montecatini, Italia	México 6-0 Estonia	
106	20/05/1998	Oslo, Noruega	México 2-5 Noruega	
107	23/05/1998	Dublín, Irlanda	México 0-0 Irlanda	
108	31/05/1998	Lausanne, Japón	México 2-1 Japón	
109	13/06/1998	Lyon, Francia	México 3-1 Corea del Sur	Mundial 98
110	20/06/1998	Bordeaux, Francia	México 2-2 Bégica	Mundial 98
111	25/06/1998	St. Etienne, Francia	México 2-2 Holanda	Mundial 98
112	29/06/1998	Montpellier, Francia	México 1-2 Alemania	Mundial 98
113	10/02/1999	Los Ángeles, California	México 0-1 Argentina	
114	19/02/1999	Hong Kong, Hong Kong	México 3-0 Egipto	Copa Carlsberg
115	11/03/1999	Los Ángeles, California	México 2-1 Bolivia	Copa USA
116	09/06/1999	Chicago, Illinois	México 2-2 Argentina	
117	12/06/1999	Seúl, Corea	México 1-1 Corea del Sur	Copa Corea
118	16/06/1999	Seúl, Corea	México 1-2 Croacia	Copa Corea
119	18/06/1999	Seúl, Corea	México 2-0 Egipto	Copa Corea
120	30/06/1999	Cd. del Este, Paraguay	México 1-0 Chile	Copa América
121	03/07/1999	Cd. del Este, Paraguay	México 1-2 Brasil	Copa América
122	07/07/1999	Cd. del Este, Paraguay	México 3-1 Venezuela	Copa América
123	10/07/1999	Luque, Paraguay	México 3-3 Perú	Copa América
124	14/07/1999	Cd. del Este, Paraguay	México 0-2 Brasil	Copa América
125	17/07/1999	Asunción, Paraguay	México 2-1 Chile	Copa América
126	24/07/1999	México, D. F.	México 5-1 Arabia Saudita	Confed.
127	27/07/1999	México, D. F.	México 2-2 Egipto	Confed.
128	29/07/1999	México, D. F.	México 1-0 Bolivia	Confed.
129	01/08/1999	México, D. F.	México 1-0 E.U.	Confed.
130	04/08/1999	México, D. F.	México 4-3 Brasil	Confed.
131	13/10/1999	Chicago, Illinois	México 0-1 Paraguay	
132	09/01/2000	Oakland, California	México 2-1 Irán	
133	05/02/2000	Hong Kong, Hong Kong	México 1-0 Japón	Copa Carlsberg
134	08/02/2000	Hong Kong, Hong Kong	México 1-2 R. Checa	Copa Carlsberg
135	13/02/2000	San Diego, California	México 4-0 T. y Tobago	Copa Oro
136	17/02/2000	Los Ángeles, California	México 1-1 Guatemala	Copa Oro
137	20/02/2000	San Diego, California	México 1-2 Canadá	Copa Oro
138	01/07/2000	San Francisco, California	México 3-0 El Salvador	
139	05/07/2000	Monterrey, Nuevo León	México 2-1 Venezuela	
140	16/07/2000	Cd. de Panamá, Panamá	México 1-0 Panamá	Eliminatoria
141	23/07/2000	Puerto España, T. y Tobago	México 0-1 T. y Tobago	Eliminatoria
142	15/08/2000	México, D. F.	México 2-0 Canadá	Eliminatoria
143	03/09/2000	México, D. F.	México 7-1 Panamá	Eliminatoria
144	20/09/2000	San Diego, California	México 2-0 Ecuador	
145	27/09/2000	San José, California	México 1-0 Bolivia	
146	08/10/2000	México, D. F.	México 7-0 T. y Tobago	Eliminatoria
147	15/11/2000	Toronto, Canadá	México 0-0 Canadá	Eliminatoria
148	20/12/2000	Los Ángeles, California	México 0-2 Argentina	
149	24/01/2001	Morelia, México	México 0-2 Bulgaria	
150	31/01/2001	Los Ángeles	México 2-3 Colombia	
151	28/02/2001	Columbus	México 0-2 E.U.	Eliminatoria
152	07/03/2001	Guadalajara, México	México 3-3 Brasil	
153	25/03/2001	México, D.F.	México 4-0 Jamaica	Eliminatoria
154	11/04/2001	Monterrey, México	México 1-0 Chile	
155	25/04/2001	Puerto España, T. y Tobago	México 1-1 T. y Tobago	Eliminatoria
156	25/05/2001	Derby, Inglaterra	México 0-4 Inglaterra	
157	30/05/2001	Suwon, Corea	México 0-2 Australia	Confed.
158	01/06/2001	Ulsan, Corea	México 1-2 Corea del Sur	Confed.
159	03/06/2001	Ulsan, Corea	México 0-4 Francia	Confed.
160	16/06/2001	México, D.F.	México 1-2 Costa Rica	Eliminatoria
161	20/06/2001	San Pedro Sula	México 1-3 Honduras	Eliminatoria
162	01/07/2001	México, D.F.	México 1-0 E.U.	Eliminatoria
163	23/08/2001	Veracruz, México	México 5-4 Liberia	
164	02/09/2001	Kingston	México 2-1 Jamaica	Eliminatoria
165	05/09/2001	México, D.F.	México 3-0 T. y Tobago	Eliminatoria
166	31/10/2001	Puebla, México	México 4-1 El Salvador	
167	11/11/2001	México, D.F.	México 3-0 Honduras	Eliminatoria
168	14/11/2001	Huelva, España	México 0-1 España	
169	13/02/2002	Phoenix, E.U.	México 1-2 Yugoslavia	
170	13/03/2002	San Diego, California	México 4-0 Albania	
171	15/10/2003	Chicago, Illinois	México 0-2 Uruguay	
172	13/07/2004	Piura, Perú	México 2-1 Ecuador	Copa América
173	14/12/2005	Phoenix, E.U.	México 2-0 Hungría	
174	29/03/2006	Chicago, Illinois	México 2-1 Paraguay	
175	05/05/2006	Pasadena, California	México 1-0 Venezuela	
176	12/05/2006	México, D.F.	México 2-1 Rep. del Congo	
177	27/05/2006	París, Francia	México 0-1 Francia	
178	01/06/2006	Eindhoven, Holanda	México 1-2 Holanda	

BALANCE DE PARTIDOS

J	G	E	P	GF	GC	DIF.
178	87	42	49	335	203	+132

J.- Juegos; G.- Ganados; E.- Empatados; P.- Perdidos; GF.- Goles a favor; GC.- Goles en contra; DIF.- Diferencia de goles.

SUS JUEGOS CON CADA TÉCNICO

Técnico	Partidos
César Luis Menotti	14
Miguel Mejía Barón	42
Bora Milutinovic	39
Manuel Lapuente	48
Enrique Meza	18
Javier Aguirre	9
Ricardo La Volpe	8
TOTAL:	178

los que habían ido a los Olímpicos, Cuauhtémoc Blanco, Pável Pardo, Duilio Davino".

La actitud de Bora como técnico fue abierta. No le quedaba otro camino que conciliar y apoyar a sus jugadores porque tenía un compromiso que cumplir y el caldo en la Federación Mexicana no estaba para otro guisado.

"Le pregunto al señor Bora: '¿Me da permiso de llevar a mi familia?', dijo: 'Sí'. Se portó muy bien, con un excelente trato. Viajaba mi esposa y mis hijos conmigo, algo padre, ¡claro! yo pagaba. Siempre Bora se portó en ese aspecto muy bien con todos.

Es ahí donde tuvimos a Brasil 2-0 abajo y luego nos dieron la vuelta por una serie de errores que cometimos. Se jugó muy bien la primera ronda. Luego en Cochabamba contra Ecuador. Ya para pasar a la Final jugamos ante Bolivia, allá en La Paz. Ahí fue un robo impresionante y descarado.

Por el mito de la altura nos quedamos en Cochabamba a dormir y el mismo día del juego volamos a La Paz para no resentir la altura.

En el partido el árbitro Epifanio González de Paraguay, empezó a manejar el juego. Inició marcando todo contra nosotros. Nicolás Ramírez clava a los cinco minutos el primero; íbamos ganando 1-0. Hubo un penal clarísimo a Luis Hernández y no lo marca y luego nos empatan con un golazo de Erwin Sánchez que nos confunde, nos dicen en la banca: 'No fue gol, pegó en el poste', pero si fue gol.

Creo que la falta que nos cobran, previa al gol, no era; yo le reclamo bien al árbitro paraguayo y de entrada me amonesta.

Después viene otra jugada, me barro normal, me llevo el balón sin ninguna intención de faulear y Epifanio sin más me expulsa.

En el segundo tiempo manda a la regadera a Joel Sánchez. La consigna era que no pasáramos, pues en Bolivia estaba toda la fiesta y no la iban a dejar ir; el otro finalista fue Brasil que quedó campeón, nosotros logramos el tercero".

El apoyo ▲

Manolo Lapuente como técnico del Tricolor siempre consideró a Claudio como el pilar base en la defensa.

Abajo, Claudio intenta quitar el balón a un jugador de Jamaica.

"Para mi generación fue como un maestro; aprendí con él a ubicarme y a moverme en la cancha"

Duilio Davino

Jugador de futbol

Manojo de nervios

Bora regresó de tierras bolivianas con la esperanza de clasificar a México a Francia 98. Logró su objetivo y la Federación Mexicana de Futbol lo despidió tan pronto tuvo el boleto en las manos. En su lugar nombraron a Manolo Lapuente, entonces técnico del Necaxa.

Lapuente traía una dinámica diferente porque ya no tenía la presión pues el equipo se encontraba en la lista de los mundialistas del 98.

El nuevo técnico entró con el pie derecho. Ganó la Copa de Oro que le ayudó a levantar la cara para llevarse al equipo a Europa

previo a su arribo a Francia. En el otro lado del mundo los resultados fueron desastrosos y en México las críticas terribles.

Lo único que salvaba el ánimo de los jugadores, por aquellas tierras, era que no tenían acceso al hervidero de opiniones fundadas y desfundadas que en el País se cocinaban a diario contra su desempeño.

"Claudio es uno de los mejores jugadores que hay en México; por algo tiene el récord de más juegos jugados en la Selección"

Juan de Dios Ramírez Perales

Ex jugador de futbol

"Al llegar Lapuente al Tricolor nos lee la cartilla. Él nos dice: 'Aquí van a trabajar, no van a venir sus familias'. Él nos mantiene un tiempo aislados. De hecho se hace una gira previa al Mundial y nos va muy mal. Lo bueno que estábamos por allá; no veíamos ni oíamos nada de lo que decían en México, aunque nuestros familiares nos comentaban: 'Se los están acabando'.

Nos sentíamos incluso extraños físicamente, faltos de reacción, lentos. Hablamos con el preparador físico Ariel González: 'Nos sentimos muy mal, estamos entrenando mucho', él nos contestó: 'No se preocupen, ya van a sentir la velocidad, ya va a llegar', y le bromeábamos: 'Pues debe venir por barco porque todavía no llega'.

Faltaban 15 días y todavía andábamos sin agarrar ritmo y justo en el Mundial, como por arte de magia, el equipo se conecta y juega bien.

El primer partido en Lyon contra Corea es bueno, lo ganamos 3-1. Luego viene el de Bélgica, en Burdeos, de hecho ese juego empezamos bien. Joel Sánchez estrella un balón de tiro de esquina en el poste y luego nos meten seguido dos goles, más tarde expulsan a Pável Pardo y nos quedamos con 10 hombres. Empieza el equipo en la segunda parte a mejorar. Hay un penal muy difícil de cobrar por los nervios y la responsabilidad, Alberto García Aspe lo anota. Eso nos mete en la pelea, luego viene el gol de Cuauhtémoc Blanco y empatamos el juego.

A pesar de eso teníamos la duda de clasificar porque estaba apretado el grupo.

El partido contra Holanda estuvo cardiaco.

Al inicio del primer tiempo todos salimos muy nerviosos, incluso yo; pues el mismo ambiente de los compañeros me envolvió. Llovía en el estadio, estaba medio nublado, la cancha mojada, un clima más para ellos; había mucha gente de Holanda, casi todo el estadio era de color naranja.

Algunos teníamos experiencia, pero nos impresionó un poco lo que veíamos. Jugamos mal

En la banca

Claudio y compañeros de equipo descansan con Jimmy Goldsmith (pantalón oscuro) y el comentarista de televisión Enrique Bermúdez.

el primer tiempo y nos pudieron golear. Eran muy superiores; todo nos ganaban, no podíamos salir con la pelota controlada.

En el segundo tiempo el partido fue de México. Salió el sol y nos ayudó. Los mexicanos en el estadio empezaron a cantar Cielito lindo, se oía impresionante.

Lapuente es buen motivador, habla bien y algo que tiene muy bueno son los cambios, los hace exactos.

Ingresó Ricardo Peláez, él nos pone otra vez en la pelea, porque Peláez empieza a ganar balones de cabeza con centrales más altos que él. Él anota el primer gol en un tiro de esquina. En otra acción Cuauhtémoc Blanco sacó las mañas que se usan en el barrio, no dejó que el defensa despejara, le puso el pie y el balón entró; los holandeses reclamaron y el árbitro no dio por bueno el gol.

Después expulsaron a Ramón Ramírez, quien se sale rapidísimo, casi al momento que le sacan al tarjeta y García Aspe no se da cuenta de que teníamos hombre de menos. Ya casi para acabar el partido, Campos me da el balón y se la mando como desesperado a Peláez, quien la peina y Luis Hernández se le gana al central y al portero; clava el 2-2. Con ese gol los holandeses se mostraron enojadísimos aunque clasificaron para la siguiente ronda".

"La trayectoria que tiene Claudio en el futbol habla de su consistencia, de trabajo, profesionalismo y disciplina; es sin duda un ejemplo"

Misael Espinoza

Ex jugador de futbol

Al ataque

Cada vez que había la oportunidad de ir al frente Claudio la aprovechaba para estar cerca de anotar un gol.

Cuando cayó el gol de Luis Hernández todo los aficionados al futbol en México

gritaron y cantaron junto con los miles de aficionados que vibraban en el estadio en Saint Etienne. Era una voz en el país que hacia olvidar los momentos más amargos que la Selección había pasado antes del Mundial.

Con el pase a Octavos de Final los mexicanos tendrían que enfrentar a un equipo que se ha distinguido en copas del Mundo por su capacidad para perseverar y no darse por vencido bajo ninguna circunstancia.

Nueva imagen ▲

El Mundial del 94 fue una prueba de que el futbol en México había cambiado. Aquí, el equipo titular antes del juego contra Noruega en Washington.

"En la siguiente ronda, el 29 de junio en Montpellier, nos tocan los alemanes, contra ellos nos equivocamos. Ahí sentí más factible ganarles a ellos que a Bulgaria en el 94.

Alemania no estaba en buen momento y nosotros sí. Hacía mucho calor. Los alemanes muy ordenados, porque parece que se les cae el mundo y no pasa nada, no se alteran.

Nosotros empezamos a desesperar y cometimos errores de marcación. Íbamos con la ventaja de 1-0 con gol de Luis Hernández. Jürgen Klinsmann empató, fusiló a Campos. Lapuente metió a Jesús "Cabrito" Arellano, quien andaba muy bien y él hacía mucho daño para buscar oportunidad de un gol más.

"Claudio siempre se ha comportado como caballero, muy limpio, respetuoso y de manera profesional"

Luis Roberto Alves "Zague"

Ex jugador de futbol

Férrea lucha ▶

Claudio peleó cada espacio en el terreno de juego contra los alemanes en el Campeonato Mundial de Francia 98.

"Nunca quería vacaciones, siempre trabajaba y no se perdía un partido con la Selección. Él siempre va a ser ejemplo por su liderazgo en la defensa"

Alberto García Aspe

Ex jugador de futbol

"Claudio podría competir entre los mejores defensores en la historia del futbol mexicano"

Enrique Meza

Técnico de futbol

Faltando poco para terminar el encuentro nos anotan el segundo y ya no nos da tiempo para reaccionar.

Es una jugada en la que a Rodrigo Lara lo sorprenden porque Oliver Bierhoff era muy fuerte. Lara intenta ganársela por arriba de manera limpia y Bierhoff se la gana y con la cabeza se la cambia a Campos. Yo no competía con él en la altura, sacaba la maña, lo estorbaba, lo chocaba.

Se le critica a Lapuente de que mandó a la defensa a Lara, pero no es cierto porque la jugada misma me sacó a mí de la zona central. Yo voy sobre Klinsmann, en el segundo gol, por eso Lara se mete en mi lugar a defender, como debe ser; abren la jugada y centran un poco incómodo. Creo que Lara comete un error porque Bierhoff era mucho más alto que él. Lara quiere ganarle la pelota de cabeza, de manera limpia y éste cabecea de tal forma que Campos no puede reaccionar con oportunidad; sentí que pudimos haber ganado. Fue un buen juego aunque muy triste porque ahí se nos acabó el Mundial".

Campeonato a la vista

Lapuente siguió al mando de la Selección Nacional hasta el 2000. Todavía le alcanzó para llevar al equipo a la Copa de Oro que perdió contra

Canadá. En ese encuentro empataron contra los de la hoja de maple en el tiempo reglamentario aunque todo se definió con el gol de oro.

"El juego fue en San Diego. Hay un tiro de esquina, vamos a rematar todos y nos hacen un contragolpe impresionante. Mientras Óscar "Conejo" Pérez esperaba a los canadienses nosotros veníamos corriendo y ahí pasó algo chistoso. Atrás de la portería estaba la zona de vestidores, al momento que cae el gol de ellos nos seguimos de frente, ya no nos paramos, pues con el gol de oro se acababa el partido; fue un fracaso.

"Yo nunca lo noté nervioso. Tiraba la pelota con tranquilidad, majestuosidad y grandeza, como si estuviera jugando con sus hijos"

Luis García Postigo

Ex jugador de futbol

Después vienen cosas buenas. Fuimos a Hong Kong y ganamos el cuadrangular, no era la gran cosa. El único detalle es cuando viene el secuestro del papá de Jorge Campos, pasamos un momento difícil.

En 1999 fuimos a un torneo en Corea, pero no nos fue bien, perdimos con Croacia.

Desde ahí nos trasladamos a la Copa América 99 en donde quedamos en tercer lugar después de que Brasil nos eliminó en Semifinales. El ambiente en la delegación mexicana estuvo regular por el asunto de los seguros y los contratos con nuestros clubes.

No queríamos jugar por los contratos porque algunos se habían lesionado y no les habían cumplido. El equipo decide: 'No jugamos' y que van los jefazos hasta Paraguay a hablar con el equipo y ahí se arregla la situación.

Viajamos directamente a México para la Copa Confederaciones. El proceso de madurez de Lapuente se notaba ya que desde el Mundial era más flexible, nos dejaba estar con la familia y hubo muy buenos resultados.

En la primera ronda de la Copa fue un poquito desangelada; la gente decía que casi casi era una obligación ganarla, pero no se daban cuenta de que se jugaba contra Bolivia, Egipto y Arabia. Me acuerdo que en el Azteca no había buenas entradas.

Fue muy bonito quedar campeones, le ganamos a Brasil. Es uno de los momentos más padres que he vivido, por todo lo que representó. En México no le daban mucho interés porque Brasil no llevaba a los mejores, pero ahí solo faltó Ronaldo y Roberto Carlos; los brasileños

Solidarios ▲

El equipo mexicano tuvo tal unión en el 98 que lo manifestaron en todo momento. Aquí los compañeros apoyan a Jorge Campos por el triste secuestro de su padre en 1999.

Otro estilo

Enrique Meza técnico del Tricolor da indicaciones a Claudio.

Abajo, el defensa central mexicano frena el avance del inglés Alan Smith en un amistoso previo a la eliminatoria del Mundial Corea-Japón 2002.

llevaban a Ronaldinho. Estuvo espectacular ese 4-3; muy buen partido. En ese juego los aficionados se integraron como en pocas ocasiones; esa noche todos estaban metidísimos. Lapuente cumplió y salió de la Selección".

"Cuando llegué al Tricolor, Claudio estaba un poco renuente; hablé con él y recibí siempre todo su apoyo"

Enrique Meza

Técnico de futbol

Experiencia fallida

Al llegar al Tricolor las puertas y los ojos se le abrieron a Enrique Meza, quien con Toluca había tenido excelentes resultados. Desafortunadamente para Claudio ésta fue la etapa más difícil que ha vivido en la Selección. En un principio tuvieron números aceptables bajo la batuta de Meza, pero el gusto les duró poco.

A partir de septiembre del 2000 se combinaron una serie de factores para que Meza no diera lo que se esperaba de él. Carismático y respetado en el ambiente del futbol, Meza tuvo que lidiar con problemas de apatía de los jugadores incluido el de Claudio: "No quería ir a la Selección porque había muchos problemas internos entre los federativos, eso provocó que los resultados no se dieran además de que nunca le agarramos al técnico el modo de jugar, lo que él deseaba".

La confusión apareció porque Meza decidió, bajo su reinado, dejar fuera a jugadores de experiencia y cuando buscó reintegrarlos creció la presión porque no dieron lo que se esperaba de ellos.

Lo más alto ▲

Claudio recibe de manos del presidente de la FIFA Joseph Blatter el trofeo de Campeón de la Copa Confederaciones 1999 celebrado en México.

"Claudio es un testimonio de vida; es ganador y perseverante en sus logros"

Daniel Guzmán

Técnico de futbol

"En mayo del 2001, Inglaterra nos goleó 4-0; días más tarde, en la Copa Confederaciones perdimos todos los encuentros. Regresamos a México y la presión era muy fuerte. Después vinieron los partidos de la eliminatoria y empezamos a perder, ahí sí llegó la alarma de que se tenía que hacer algo. Prácticamente México ya estaba fuera del Mundial 2002; casi casi era hacer puntos a como dé lugar y los necesarios para estar en Corea-Japón. Yo siento que le cargaron toda la mano a Meza, en dejarle toda la responsabilidad; a lo mejor sí cometió errores en no exigirnos más. Nosotros también cometimos errores, pero creo que también los federativos tienen su parte".

Aires de esperanza

Alejandro Burillo entró de lleno como directivo porque peligraba la participación de México. Se nombró en el 2001 a Javier Aguirre en lugar de Meza, quien llegó con el látigo de la exigencia. Él ingresó en un momento muy crítico de la Selección.

"Empezaron los resultados inmediatamente. Recuerdo que el primer partido lo enfrentamos en el Estadio Azteca. Lo que nos dijo Aguirre fue: 'Vamos a ganar estos juegos'. Nos metió muy bien esa mentalidad a todos. Él hizo una convocatoria con la gente y los aficionados respondieron; se ganó el primer partido 1-0, se sumaron tres puntos hasta que finalmente se clasificó.

Con Aguirre empiezo a tener algunos malentendidos. Me manda a la banca, de repente siento como que ya no quiere que esté en la Selección y hablamos claro: 'Si no me vas a tomar en cuenta no le veo caso estar en la Selección'. Quizás él por la presión no se había dado cuenta de mi situación".

Claudio regresó a la alineación titular en el partido decisivo ante Honduras. En el Azteca el Tricolor hizo un juego que le valió ganar los tres puntos además de que Claudio pudiera sacarse la espina del terrible desempeño que vivió en la era de Meza. "Me sentía muy presionado porque el profe Meza nos decía: 'Si no clasificamos vamos a estar marcados toda la vida, en la historia del futbol mexicano, por no lograr el pase al Mundial'".

El grupo que encabezó Aguirre en cierta manera no perdía nada ya que quien había complicado el pase de la Selección fueron los jugadores dirigidos por Meza. Con esa soltura los pupilos del "Vasco" enfrentaron el compromiso de llevar a México al Mundial Corea-Japón 2002.

"Aguirre manejaba la idea: 'Ustedes casi no pierden nada, hay que intentar y no se metan en esa presión', esa era una misión imposible, muy complicada.

Con el pase al oriente vino la preparación para el Mundial. A la Copa América 2001 en Colombia, Aguirre no me toma en cuenta. Su decisión no la consideré mal. Hicieron una buena participación en tierras colombianas y se trajeron el subcampeonato que a lo mejor no fue tan reconocido porque en esa Copa América las selecciones de Brasil y Argentina no le dieron tanta importancia.

Me vuelve a llamar y estoy en partidos amistosos para el Mundial y viene la Copa de Oro, no participo, se fracasa ahí. Fue uno de los descalabros de Aguirre por no ganar.

"Yo tengo de él un recuerdo extraordinario. Un día Claudio me regaló un reloj que para mí es muy emocionante con una inscripción que dice: 'Gracias por tus enseñanzas', eso lo guardo en mí corazón"

Miguel Mejía Barón

Técnico de futbol

"Yo sé lo que él me puede dar. Hay momentos que ciertos jóvenes del futbol mexicano no completan lo que tiene Claudio, esa es la realidad"

Ricardo La Volpe

Técnico de futbol

Se sigue la preparación y justo a dos meses y medio del Mundial me fracturo el peroné; me alivio en el tiempo requerido y Aguirre me niega, a pesar de su promesa, la oportunidad de probarme para ir al Mundial".

Cumple 173 ▼

Claudio atiende las indicaciones de Ricardo La Volpe, previo al encuentro ante Hungría en diciembre 2005. En este partido el guerrero logró colocarse como el jugador con más representaciones nacionales en el mundo. Andrés Guardado observa las indicaciones del técnico nacional.

Cuando Aguirre sale del Tricolor en el 2002, Claudio regresa a la Selección un año después con Ricardo La Volpe. Con un espíritu más fortalecido y una madurez más grande Claudio acude al llamado del argentino para jugar ocho partidos entre el 2003 y junio del 2006 que lo llevan a ser el número dos en el mundo en vestir la camiseta de su país con 178 juegos de selección contra selección.

La presencia de Claudio en el representativo nacional fue de mutuo beneficio. Él maduró en los 14 años como profesional del balompié con la casaca del Tricolor y se consolidó como un ejemplo entre los jugadores mexicanos. Mostró ser un hombre de fuerza, carácter, personalidad, sencillez, humildad, trabajo, disciplina, constancia, obediencia y respeto.

Bien por Claudio y mejor por aquellos que tuvieron el tino de respetar la figura de él como un guerrero del futbol mexicano.

Cerca del Mundial ▲

El equipo que jugó contra Paraguay en Chicago muestra optimismo previo al llamado de Ricardo La Volpe para formar al representativo de México en el Mundial de Alemania 2006.

Premio a la perseverancia

Cuando todos pensaron en el 2002 que el guerrero mexicano había sucumbido en su carrera futbolística, éste se levantó.

El dolor por quedar fuera del equipo que acudió al Mundial de Corea-Japón lo quebrantó, pero no fue suficiente como para que Claudio pensara en su retiro. Lejos de él considerar esta opción, por el contrario dejó que de su interior brotaran la fuerza, decisión y determinación para seguir activo en el balompié nacional

Sus años de reaparición en el escenario más grande del futbol mundial estaban contados. Tendrían que pasar ocho años, casi 2 mil 900 días para volver a la lista de los seleccionados que acudirían a otro mundial, ahora a Alemania 2006.

Todos sus compañeros de la generación del Mundial de Estados Unidos 94 se habían retirado; solo él quedaba activo. Su actitud mental, cuidado personal y profesionalismo lo tenía aún en los terrenos de juego.

La visión de Ricardo La Volpe como técnico del Tricolor, fue suficiente para convocar al símbolo del futbol mexicano como estandarte, en especial de los jugadores más jóvenes. La Volpe pensó en darle solidez

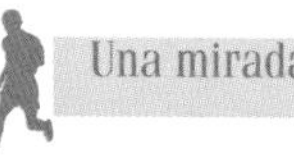

a una defensa con menos experiencia que en pocos años, quizá para el Mundial del 2010, serán tan fuertes y confiables para enfrentar a las más difíciles escuadras.

La llegada de Claudio a Chivas USA a principios del 2006, le dio el oxígeno necesario para que su condición física respondiera ante la filosa y penetrante mirada de millones de aficionados; las críticas fueron en general favorables hacia su desempeño en la cancha.

"Lo bueno es que Ricardo La Volpe no me dejó de observar y de tener informes míos. Él sabe que en Estados Unidos se trabaja bien. Yo considero que se corre más que en México y hay más contacto físico".

A Claudio le costó trabajo adaptarse a las circunstancias del ambiente estadounidense, pero su esfuerzo y tenacidad fueron determinantes para que La Volpe pusiera una vez más sus ojos en él. Lo llamó ante la selección de Paraguay a finales de marzo del 2006 y después del juego decidió llevarlo al Mundial.

El 2 de abril de ese mismo año dio a conocer los nombres de aquellos que acudirían en junio al torneo mundialista; todo México escuchó el nombre de Claudio entre los integrantes.

"Ese día estaba muy nervioso. Se había hecho más expectación que en otras convocatorias, pero esperaba con ansias que mi nombre apareciera en la lista. Cuando La Volpe me nombra, a mi esposa y a mis hijos les causó una gran alegría hasta las lágrimas; ese sentimiento me lo transmitieron".

Después de todo la figura de Claudio se mantuvo erguida, con la mirada de frente tal y como mandan los cánones de quienes están llamados a la categoría de guerreros. Sus compañeros del Tricolor aceptaron y reconocieron en Claudio al líder con más experiencia que hace falta en todo equipo.

Aunque Claudio no jugó en el Mundial si lo hizo con su presencia en el vestidor.

Sólido defensa ▲

El encuentro ante Paraguay le sirvió a Ricardo La Volpe para constatar el nivel futbolístico de Claudio; a él lo llamaría el 2 de abril del 2006 para que asistiera a su tercer Mundial.

"Estoy muy agradecido con Ricardo La Volpe porque me dio mucha confianza a pesar de las críticas"

Claudio

Dolor superado

Buenas y malas

Fueron necesarios dos acontecimientos en la vida de Claudio Suárez para templar su temperamento como líder y guerrero.

En menos de 10 años bebió algunos tragos amargos, pero todos hidratantes para el alma, espíritu, carácter y personalidad.

Los que más le calaron, en el fondo de su ser, estuvieron enmarcados en la difamación del 97 y quedar excluido del Mundial 2002.

Desde 1993 ya le había tocado convivir con el dolor. En ese entonces tuvo que sortear una rotura de ligamentos del tobillo derecho. Más tarde aguantó la respiración para sobrellevar cinco enderezadas de nariz, la limpieza de la rótula de la pierna derecha, que lo mantuvo inactivo seis meses; una operación del peroné derecho y para redondear la tanda la exploración del corazón por un supuesto problema en el órgano vital, que resultó una falsa alarma.

"Una cosa es verdad, Claudio no tomó nada, no lo necesitaba"

Ricardo Ferretti

Técnico de futbol

A finales 1997, Claudio era conocido en el país y en el mundo por su manera de ser en la cancha y en su vida personal. Su correcto comportamiento lo ubicó en el nicho reservado sólo para aquellos que tienen la estampa y una figura ejemplar.

Claudio traía a cuesta y con orgullo el décimo título de Chivas del Verano 97, un juego con la selección Resto del Mundo FIFA, su tercera Copa América, la clasificación al Mundial de Francia, lograda en Canadá el domingo 12 de octubre de ese año y para lucir el ramillete de noticias buenas, un Citlalli más como el mejor defensa central en México.

Sin esperarlo y en fiestas decembrinas de 1997 le llegó su primera bebida; la otra, un poco más cargada, el 2 de abril del 2002.

Valor ante la adversidad

El clima de alegrías y festejos cambió poco antes de la Navidad del 97. La prueba de fuego le tocó después de la tercera emisión de la Copa Confederaciones de Futbol Rey Fahd, en Arabia Saudita.

Mientras Manolo Lapuente se estrenaba como el nuevo técnico de la Selección en sustitución de Bora Milutinovic, Claudio estaba tranquilo y sereno, como es su costumbre, en espera de los rivales en turno: australianos, árabes saudí y brasileños.

De pie ◄

Claudio, un ejemplo para quienes enfrentan adversidades y gustan de salir victoriosos.

Al terminar el encuentro ante Brasil, Claudio y Luis Hernández por México y Roberto Carlos y Dunga por el equipo sudamericano fueron requeridos para el examen antidoping. Todos dejaron sus muestras de

Historia de un posible error

Claudio, con olor a inocencia

Porque quien está involucrado en el comunicado de FIFA por haber sido encontrado positivo es justamente el gran defensor.- Sin duda, se trata de una confusión, que se está tratando de aclarar.- Los antecedentes y los hechos hablan en favor de quien fue capitán del seleccionado que actuó en Arabia.- Historia suscinta de los acontecimientos.

Por Ignacio MATUS

Claudio SUAREZ.- Ayuda a aclarar las cosas.

LA HISTORIA

LOS PASOS

DESCARGOS

DE POLITICA... Y COSAS PEORES

Por CATON

Pa'todo el año...

Por Carlos TRAPAGA B.

Noventa y ocho veces... felicidades.

31 de Diciembre de 1997 / Página 3

FUTBOL

5 de enero de 1998

Por el supuesto dopaje

"No le temo a nada": Claudio Suárez

* Lleva pruebas claras de su inocencia a la FIFA

Por Carlos GARCIA VARELA
Fotos de Juan Carlos González

"No soy jugador que se valga de sustancias prohibidas para salir adelante", indicó el "Emperador" Suárez.

Claudio Suárez partió rumbo a la sede de la FIFA en Suiza para dejar las cosas claras tras su supuesto dopaje.

ANDROLONA, LA SUSTANCIA

CLAUDIO ESTA BIEN

EN MEXICO NO HAY DOPAJE: ESCALANTE

DIRECTORIO

Presidente del Consejo de Administración
ALEJANDRO BURILLO AZCARRAGA
Presidente y Director General
ALBERTO VENTOSA AGUILERA

orina. Brasil continuó en el torneo hasta quedar campeón y a México lo borraron del certamen por no tener los méritos suficientes para continuar.

Ya en Guadalajara, Claudio no pudo repetir con Chivas la vuelta olímpica en el Jalisco pues quedaron eliminados, en Cuartos de Final, por el América en un contundente 4-1 global; en ese encuentro salió otra vez sorteado para el examen antidopaje y todo fue negativo.

En la fiesta de fin de año del 97, Claudio recibió una noticia que le causó risa y luego lo sacudiría por 20 días. Con poco alimento, mortificación, insomnio, oraciones a la Virgen de Guadalupe y a la corte celestial, pidió que las cosas se arreglaran, pues aseguraba que había un error en el dictamen.

En la comida navideña de los rojiblancos, el 20 de diciembre en el Club de Industriales de Guadalajara, los directivos de Chivas llamaron por separado a Claudio para darle a conocer un comunicado que mandaba la FIFA. En él se decía que Claudio había salido positivo por consumo de nandrolona, anabólico catalogado por la FIFA como prohibido, sustancia que ayuda a crecer la masa muscular, da potencia y velocidad.

La polémica

Los diferentes diarios deportivos de México cubrieron ampliamente el caso del supuesto dopaje del defensa central de Chivas y del Tricolor.

"Fui a Zurich porque para mí era importante dejar bien claro que estaba limpio de cualquier sospecha"

Claudio

La reacción inicial de Claudio fue de sorpresa: "No puede ser, es un rumor", para más tarde abrirse a que le practicaran los exámenes que fueran necesarios porque manifestaba no tener nada que ocultar.

Con la cara en alto y la voz quebrada, Claudio inició un peregrinaje que le dejaría marcado de por vida. Aprendería a permanecer firme en la verdad y de paso presumiría la honestidad de sus aseveraciones además de publicar, a los cuatro vientos, la apertura del órgano rector del futbol mundial a escucharlo.

Con todo el apoyo y sin dudar de la reputación de Claudio, Salvador Martínez Garza, presidente de Chivas giró instrucciones para que los servicios médicos del equipo demostraran a FIFA, con expedientes en la mano, la limpieza del experimentado defensa central.

ACUDIRA ANTE LA FIFA, PARA DEMOSTRAR SU INOCENCIA

CLAUDIO, A ZURICH

(Pág. 3)

$ 3.50

ESTE lunes, Claudio Suárez viajará a Zurich -sede de la FIFA-, donde tratará de demostrar su inocencia en el caso de dóping que le achacan.

ESTO

ORGANIZACION EDITORIAL MEXICANA

PRESIDENTE Y DIRECTOR GENERAL MARIO VAZQUEZ RAÑA

México, D.F. Viernes 2 de Enero de 1998
Año LVI No. 19947
www.oem.com.mx

MANZO, MEJIA BARON, LF TENA Y REINOSO

"POKER" DE TECNICOS, EN ESTO

UN FORCADO ESTA GRAVE, EN MERIDA

"Le da indicaciones al doctor Alfredo Sandoval que investigue acerca de la sustancia nandrolona de la que me acusan de haberme inyectado, porque que no se conocía mucho en México.

Martínez Garza toma la iniciativa, nos paga todo y el 26 de diciembre del 97 nos manda a Los Ángeles a hacer otros estudios en los laboratorios autorizados por la FIFA, en la Universidad de California, ahí donde le hicieron los exámenes a Maradona en 1994; ellos mandaron los resultados a Zurich.

Regresamos a Guadalajara y Martínez Garza le pide a Hermann Käelin, responsable de Fuerzas Básicas de la Promotora Deportiva Guadalajara que nos acompañe, junto con personal de la Federación Mexicana a Zurich, porque él conocía a la gente de allá.

El presidente del equipo, quien nunca me cuestionó, dijo: 'Tienes todo mi apoyo, sé que no hay nada de por medio, no te preocupes; nomás que hay que demostrar ¿no?; vamos a ver que pasa con la Federación Mexicana'".

"Fui compañero de cuarto de Claudio en la Copa Confederaciones en Arabia y nunca vi que tomara algo"

Noé Zárate

Ex jugador de futbol

Mientras pocos creyeron en el informe arrojado por el área médica de FIFA, la comunidad futbolística del país reaccionó con apoyo incondicional hacia la figura del seleccionado nacional. Miguel Mejía Barón, Ramón Ramírez, Paulo César "Tilón" Chávez, Jorge Campos, Pável Pardo, Noé Zárate, Alberto Coyote, Ramírez Perales y demás compañeros en el Tricolor mostraron indignación.

El técnico del Tricolor, Manuel Lapuente afirmaba a los medios de comunicación no sólo meter las manos sino todo el cuerpo al fuego por Claudio, a quien calificó como jugador ejemplar.

"Yo no sé de quién son esas muestras, pero una cosas es real yo no me inyecté, ni tomé nada"

Claudio

"Se me hizo decente", dice la Lapuente: "de mi parte hablarle en ese momento; él es gente dedicada, muy profesional, gente que debe perdurar en el futbol y se me hacía injusto que se le hiciera lo que se le hizo".

Ricardo Ferretti como cabeza de Chivas en ese entonces y conocedor de la trayectoria de Claudio señalaba:"Este tema es muy confuso, pero una cosa te aseguro que Claudio no la usaba, nunca lo usó, ni tuvo necesidad; no tomaba ni analgésicos para entrar a la cancha por los dolores de condromalacia que tenía".

El español Emilio Butragueño, quien entonces militaba en el Celaya lo alentó, horas antes de que Claudio viajara al viejo continente, a seguir hasta las últimas consecuencias.

Contrario al apoyo llegaron las dudas en la Federación Mexicana que cuestionaron a Claudio: "Hasta cierto punto era normal", asegura el jugador que sabía enfrentar, a veces con fastidio, la insistencia de los medios por descubrir indicios de contradicción en sus declaraciones.

Entre los mejores ▼

Antes del escándalo, Claudio fue invitado a participar en un duelo de estrellas del balompié mundial en Rusia, organizado por la FIFA.

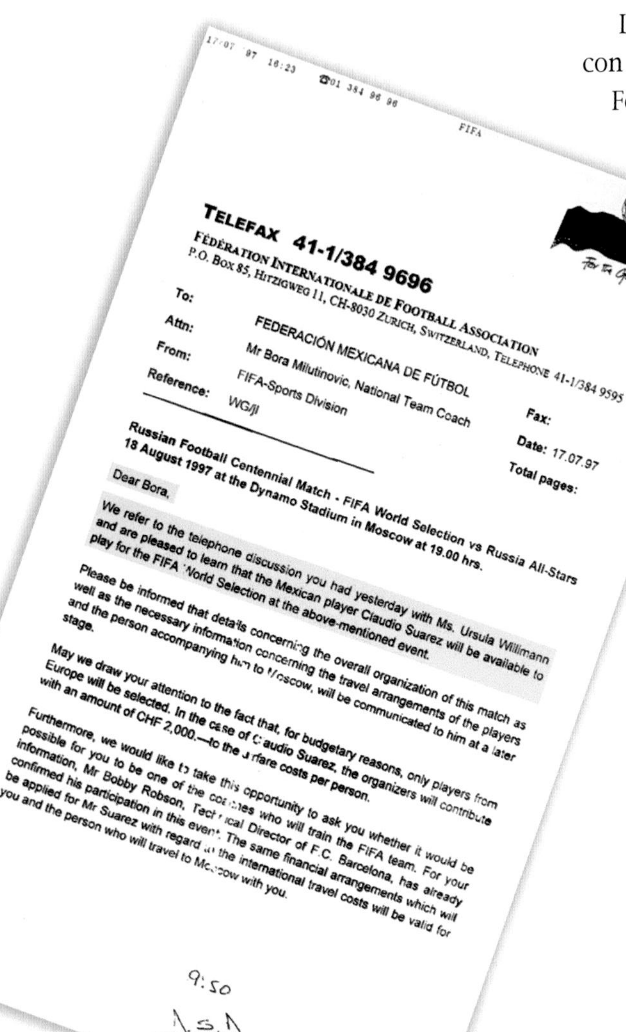

17/07 '97 16:23 ☎01 384 96 96 FIFA

TELEFAX 41-1/384 9696

FÉDÉRATION INTERNATIONALE DE FOOTBALL ASSOCIATION
P.O. Box 85, Hitzigweg 11, CH-8030 Zurich, Switzerland, Telephone 41-1/384 9595

For the Good of the Game

To: FEDERACIÓN MEXICANA DE FÚTBOL
Attn: Mr Bora Milutinovic, National Team Coach
From: FIFA-Sports Division
Reference: WG/jl

Fax:
Date: 17.07.97
Total pages:

Russian Football Centennial Match - FIFA World Selection vs Russia All-Stars 18 August 1997 at the Dynamo Stadium in Moscow at 19.00 hrs.

Dear Bora,

We refer to the telephone discussion you had yesterday with Ms. Ursula Willimann and are pleased to learn that the Mexican player Claudio Suarez will be available to play for the FIFA World Selection at the above-mentioned event.

Please be informed that details concerning the overall organization of this match as well as the necessary information concerning the travel arrangements of the players and the person accompanying him to Moscow, will be communicated to him at a later stage.

May we draw your attention to the fact that, for budgetary reasons, only players from Europe will be selected. In the case of Claudio Suarez, the organizers will contribute with an amount of CHF 2,000.—to the airfare costs per person.

Furthermore, we would like to take this opportunity to ask you whether it would be possible for you to be one of the coaches who will train the FIFA team. For your information, Mr Bobby Robson, Technical Director of F.C. Barcelona, has already confirmed his participation in this event. The same financial arrangements which will be applied for Mr Suarez with regard to the international travel costs will be valid for you and the person who will travel to Moscow with you.

9:50

"El 24 de diciembre me hablan desde la Federación y me dicen: 'Estamos reunidos platicando tu caso ¿Te puedes venir ahorita?, ¿Cuánto tiempo tardas?'. Les dije como dos horas, porque hay mucho tráfico y la Federación estaba en Abraham González, por el centro y yo venía de Cuernavaca.

Llego con ellos y Alfredo Sandoval me dice: 'Te están dando, pero con todo'. Era una reunión del área médica y algunas autoridades de la Federación. La conclusión de ellos era que sí me había inyectado.

Como me había tardado, aseguraban que no quería llegar porque tenía miedo. Ya adentro de la reunión el doctor Víctor Ilizaliturri me dijo: '¿Has tomado algo? ¿te das cuenta de la magnitud?'; otros entraron a la conversación: 'Lógico, te apoyamos, pero necesitamos que nos digas la verdad'.

Entonces yo me molesté y les dije: 'Ustedes dudan de mí, aquí está el doctor Sandoval y todo el registro de lo que he tomado; muchas veces me he aguantado el dolor por no tomar medicamentos, pero si dudan de mí, estoy dispuesto a que me hagan pruebas de lo que quieran'. Ellos respondieron: 'Mira, no te molestes'.

El problema es que era diciembre, iban a salir de vacaciones y lo que pasa es que los del doping de la Federación no me la quisieron hacer, le zacatearon, les dio miedo porque me decían: 'No está la gente del laboratorio del Hospital ABC'; se hicieron tontos, nos quisieron aventar la bronca y decíamos: 'No es posible'".

ova
cio
nes

miércoles 7
ro de 1998, méxico, d.f.
úmero 17489/año L
$4.00
residente y Director General
BERTO VENTOSA AGUILERA

Las muestras son, en apariencia, de Roberto Carlos

¡CLAUDIO, INOCENTE!

Según un cable de la cadena Fox Sports, los laboratorios analizaron pruebas del jugador brasileño y las confundieron con las de Suárez.- De cualquier manera, hoy se entrevistarán con Blatter 3

ARTIN
AZQUEZ
EGO A
UESTRO
AIS 5

NADIE ESTA SEGURO EN EL TRI: LAPUENTE 11

ESTE DIA SE REUNEN LOS PRESIDENTES DE CLUBES 5

JUZDADO Y ROCHA TRIUNFARON EN SAN SEBASTIAN, ESPAÑA 23

caso de Claudio Suárez dio un giro inesperado con la
rsión de una televisora estadunidense, que involucra al
tro brasileño Roberto Carlos. Hasta el momento son sólo
peculaciones y la verdad se conocerá éste día.

DOMIZZI VUELVE AL QUIROFANO 10

Alejandro Burillo Azcárraga, entonces con toda la mano en la Selección ayudó incondicionalmente a Claudio; Ricardo Méndez, gente de Burillo, estableció los contactos necesarios para que las órdenes del jefe se cumplieran. Alejandro Orvañanos, presidente de la Comisión de Selecciones Nacionales aligeró la carga de Claudio y al grupo de apoyo se sumó el jefe de los servicios médicos de la Concacaf.

Claudio, un poco reconfortado preparó su maleta y partió a Zurich el domingo 4 de enero del 98 para dar la cara y si fuera necesario hasta la sangre.

Claudio iba un poco más tranquilo porque el área médica del Comité Organizador de la Copa Confederaciones había incurrido en un error administrativo. Abrió la supuesta muestra B, sin su presencia o representante mexicano.

Ese detalle dejó descobijado el comunicado de la FIFA que había enviado a la Federación Mexicana poco antes de la Navidad. Abría la esperanza de que Claudio, junto con su archivo, librara el castigo de casi dos años que lo marginaría de todo evento nacional e internacional, en especial del Mundial de Francia 98 además de llevar sobre los hombros la difamación.

Se subieron al mismo avión con Claudio: Alfredo Sandoval, Herman Käelin por Chivas; Manuel Escalante secretario general y Víctor Ilizaliturri integrante de la Comisión Médica, ambos de la Federación Mexicana de Futbol.

Claudio insistió: "Que vaya el médico de la Selección, el sabe cómo está mi asunto; ellos no lo quisieron llevar y al poco tiempo lo corrieron".

Joseph Blatter, entonces secretario general de la FIFA y que en ese año llegaría a la presidencia del organismo, dijo en Singapur, el lunes 5 de enero del 98, que no existía el caso de dopaje de Claudio Suárez, pero que era un asunto delicado o sensible, además de que le extrañaba que el jugador mexicano estuviera en Zurich.

Cuando arribaron a la capital de Suiza y ya en Hotel Dolder, Claudio les preguntó, distante de la cámara de Televisa, a los delegados de la Federación: "'¿Cuándo vamos a FIFA?', ellos decían: 'Tranquilo, estamos esperando instrucciones de México', y les respondía: '¿Quién les va hablar?

Cuentas claras ▲

Poco a poco el caso comenzó a esclarecerse, a Claudio no se le podía acusar de nada.

"Conozco a Claudio desde hace muchos años, hay una equivocación; sé su forma de ser, ahora hay que apoyarlo"

Jorge Campos

Ex jugador de futbol

Sentencia definitiva

Claudio junto con Alfredo Sandoval (de izquierda a derecha), Manuel Escalante y Víctor Ilizaliturri delegados de la Federación Mexicana de Futbol en Suiza.

Abajo: La exoneración del jugador mexicano por fin llegó mediante un comunicado de la FIFA.

El martes me volvieron a decir: 'Todavía no, estamos esperando a que nos avisen, tranquilo'. A mí ya me olió mal pues decía: 'A eso venimos'.

Ellos querían que fuéramos a comer, conocer y cenar. Como no cabíamos todos en un taxi, cambié de opinión y le dije a Hermann Käelin: 'Vamos a la FIFA en otro taxi, que el doctor Sandoval se vaya con ellos'".

Ya en las oficinas, Claudio se dio cuenta que no había cita, ni enterados estaban a qué iban por esos rumbos. En la FIFA sólo sabían que habían comunicado a la Federación sobre el caso de Claudio y que esperaban, en pocos días, dar a conocer el castigo.

"Mi conciencia está limpia, soy honesto conmigo mismo"

Claudio

"Coincide que yo ya había ido a un juego del Resto del Mundo a Rusia en agosto del 97, por ello me conocía la gente de allá. Una secretaria dice: 'Sí, sabemos de tu caso, pero no teníamos idea que ibas a venir'; entonces yo le empecé a explicar cómo estaban las cosas. Ella me aseguró: 'No hay nadie, ni el señor Blatter, todos están de viaje, pero regresa pronto Michel Zen Ruffinen', futuro secretario de la FIFA.

Salió una responsable de los servicios médicos y nos dijo: 'Fue un error de este laboratorio que haya abierto la muestra del frasco B, pero ya no hay nada que alegar, de todos modos vamos a esperar al señor Blatter o Zen Ruffinen, a quien no conocía'.

Total, tomaron nota de mi presencia y les dejé los datos del Hotel Dolder porque ellos nos llamarían. Cuando regresamos a donde nos hospedábamos informamos a los demás sobre el asunto.

Al otro día, miércoles, nos llamó la secretaria de Zen Ruffinen de que nos recibiría el jueves 8 de enero a las 10 de la mañana.

Vamos a las oficinas y nos dicen que era muy difícil echar marcha atrás. Les explico: 'Por eso vengo hasta acá porque nunca en mi vida he hecho algo así; me hice una prueba en Estados Unidos, tuve otra en la Liguilla en México, pregunten allá'. Zen Ruffinen, siempre amable, nos dijo: 'Vamos a ver con los resultados de Los Ángeles y dependiendo de ellos, si nos dicen que no hay nada, vamos a ver'.

Entonces Escalante, en ese momento, entró a hablar con Zen Ruffinen; no sé lo que platicaron. Después de un tiempo salió muy contento y me dice: 'Todo está solucionado, solo te van a castigar de un meses

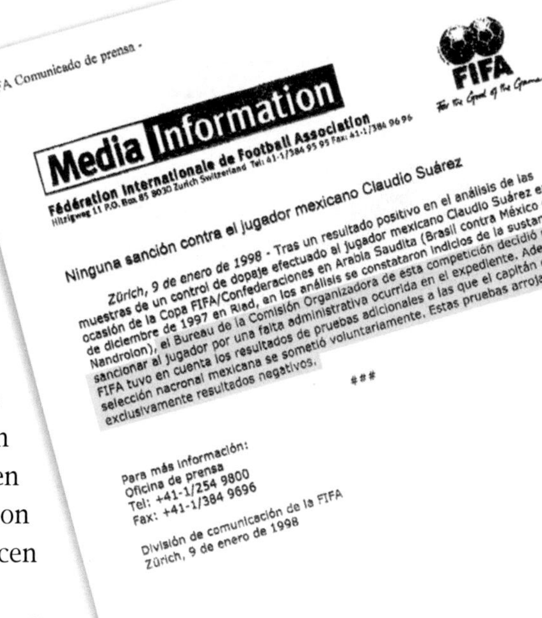

Página 1 de 1

FIFA Comunicado de prensa -

Media Information

Fédération Internationale de Football Association
Hitzigweg 11 P.O. Box 85 8030 Zurich Switzerland Tel: 41-1/384 95 95 Fax: 41-1/384 96 96

FIFA For the Good of the Game

Ninguna sanción contra el jugador mexicano Claudio Suárez

Zürich, 9 de enero de 1998 - Tras un resultado positivo en el análisis de las muestras de un control de dopaje efectuado al jugador mexicano Claudio Suárez en ocasión de la Copa FIFA/Confederaciones en Arabia Saudita (Brasil contra México el de diciembre de 1997 en Riad, en los análisis se constataron indicios de la sustancia Nandrolon), el Bureau de la Comisión Organizadora de esta competición decidió no sancionar al jugador por una falta administrativa ocurrida en el expediente. Además FIFA tuvo en cuenta los resultados de pruebas adicionales a las que el capitán de selección nacronal mexicana se sometió voluntariamente. Estas pruebas arrojaron exclusivamente resultados negativos.

###

Para más información:
Oficina de prensa
Tel: +41-1/254 9800
Fax: +41-1/384 9696

División de comunicación de la FIFA
Zürich, 9 de enero de 1998

a tres meses si no sale nada'. Le digo: '¿Por qué?, si lo que quiero es limpiar mi imagen; qué le voy a decir a la gente, a mi familia, ni un solo día porque no tengo nada'".

Zen Ruffinen quedó impresionado ante la insistencia y seguridad de quien no tiene nada que ocultar. Él miraba con mucha atención el lenguaje no verbal de Claudio; era más importante cómo se expresaba que el propio contenido de sus palabras.

"Pedí hablar una vez más con Zen Ruffinen, le expliqué que mi presencia ahí respondía a que estaba sin ningún problema; que me hicieran todo tipo de análisis que quisieran, pero que no me movería de ahí hasta tener una respuesta positiva, pues la supuesta sustancia duraba en el cuerpo 180 días".

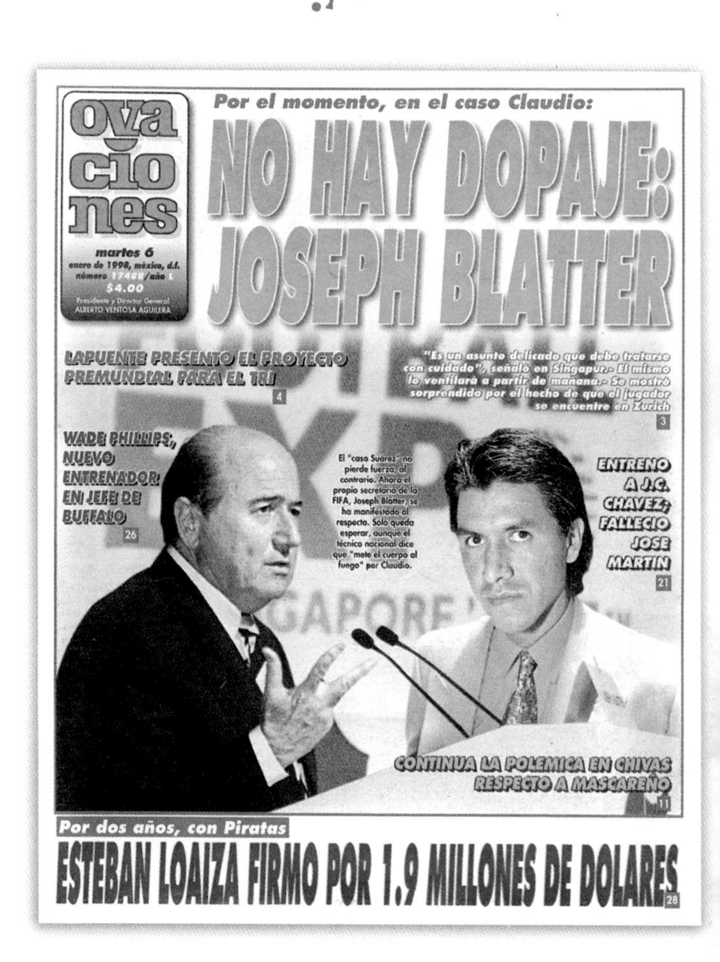

ovaciones

martes 6
enero de 1998, méxico, d.f.
número 17468/año L
$4.00
Presidente y Director General
ALBERTO VENTOSA AGUILERA

Por el momento, en el caso Claudio:

NO HAY DOPAJE: JOSEPH BLATTER

LAPUENTE PRESENTO EL PROYECTO PREMUNDIAL PARA EL TRI 4

"Es un asunto delicado que debo tratarse con cuidado", señaló en Singapur.- El mismo lo ventilará a partir de mañana.- Se mostró sorprendido por el hecho de que el jugador se encuentre en Zurich 3

WADE PHILLIPS, NUEVO ENTRENADOR EN JEFE DE BUFFALO 26

El "caso Suarez" no pierde fuerza, al contrario. Ahora el propio secretario de la FIFA, Joseph Blatter, se ha manifestado al respecto. Sólo queda esperar, aunque el técnico nacional dice que "mete el cuerpo al fuego" por Claudio.

ENTRENO A J.C. CHAVEZ; FALLECIO JOSE MARTIN 21

CONTINUA LA POLEMICA EN CHIVAS RESPECTO A MASCAREÑO 11

Por dos años, con Piratas

ESTEBAN LOAIZA FIRMO POR 1.9 MILLONES DE DOLARES 28

Zen Ruffinen observaba atento a Claudio, quien provocó que el representante de la FIFA les dijera: "Vayan al hotel y yo les llamo; voy a hablar al laboratorio de Estados Unidos y si sales positivo el castigo va a ser de seis meses a dos años y si es negativo no hay problema; aceptaremos que fue un error nuestro, pero que no se haga mucho ruido en la prensa".

A las pocas horas alguien llamó a Escalante al hotel para decirle: "Claudio está limpio, que les vaya bien".

La primera reacción de Claudio fue llamar a su esposa. Era necesario que el defensa central de las Chivas y del Tricolor, perseverara en su postura ante los responsables de la delegación mexicana y de la FIFA.

El veredicto final ▲

Aunque sin desglose de detalles y explicaciones, Claudio fue absuelto por la FIFA.

A final de cuentas ellos accedieron a escuchar y libraron a Claudio de lo que hubiera significado el fin de la carrera de uno de los mejores defensas centrales que México ha tenido.

Argumentaron que el procedimiento tenía: "Un error administrativo", y le pidieron a la delegación: "No hagan más declaraciones".

Claudio regresó a Guadalajara el 9 de enero con la cara feliz y con su fama y buen nombre en las manos; casi casi como si hubiera ganado el partido más importante de su vida.

Tenacidad ejemplar

La segunda bebida amarga que Claudio ingirió le fue servida el martes 2 de abril del 2002.

El proceso eliminatorio de los mexicanos, para adquirir el boleto al Mundial Corea-Japón, había sido tenso, difícil, dramático.

La primera lesión ▲

Para Claudio las recuperaciones por fractura no le habían sido ajenas. Ya se había encontrado en ese estado años antes; en la imagen su esposa lo atiende del tobillo derecho en 1993.

A Enrique Meza lo despidieron por malos resultados y Javier Aguirre entró a salvar lo salvable el jueves 21 de junio del 2001, con la espada desenvainada y su lema: "A romperse el alma por su país".

Aguirre tenía sobre sus espaldas la presión de millones de aficionados al futbol, de los patrocinadores del equipo y la insistente presión de las televisoras: todos le exigían ganar, a como diera lugar, 13 de 15 puntos por disputarse.

Lo primero que hizo al llegar fue una limpia de jugadores que consideró "grillos" que habían estado con Meza. Salieron Duilio Davino, Pável Pardo, José Manuel Abundis, Alberto Coyote, Luis Hernández, Salvador Carmona, David Rangel y Jorge Campos; Claudio permaneció con el Tricolor.

El día de la presentación del "Vasco" Aguirre ante los medios, mostró de qué calibre estaba hecho; tenía la certeza de clasificar al Mundial con la nueva lista de convocados.

"La verdad es que cometo un error cuando un directivo me habla el viernes por la mañana a la casa y me dice: 'Estás en la lista de convocados que dio Aguirre; volvió a llamar a estos jugadores', y digo: 'A poco, sino están en buen momento'.

Me llevaba muy bien con Aguirre desde el Mundial del 94, por eso cuando ésta persona me dice: 'Deberías hablar hoy mismo con él, porque todavía no ha dado la lista oficial, además él comentó que quiere hablar contigo'.

Tomo la decisión de hablarle y le marco a su celular: 'Javier me dijeron que querías hablar conmigo', él dice: 'Sí, pero después; estás en la lista de convocados, nos vemos el domingo'. Insisto: 'Yo no quiero interferir, pero hay jugadores que no te convienen'. Se molestó conmigo porque me dijo: 'Tú no tienes porque meterte'.

Creo que él pensó que alguien de la Federación me había hablado para convencerlo.

Esto lo descubrí semanas más tarde cuando charlé con él: 'Me dieron tu celular porque me dijeron que querías hablar conmigo y yo por ayudar malinterpretaste mis comentarios; estábamos en una situación muy complicada, ya no podíamos perder tiempo'. A fin de cuentas a esos jugadores los dejó fuera de la Selección.

"Desde el primer día de mi recuperación recibí la atención de un sicólogo"

Claudio

Aguirre tenía muy mala imagen de los seleccionados que estuvieron con Meza. Le contaron que los jugadores se escapaban en las concentraciones, que eran fiesteros y que no hacían caso a Meza.

Yo le decía: 'Si a alguien respetábamos era a Meza'".

Coincidencia desafortunada

Claudio estaba en Cuernavaca el domingo 24 de junio cuando recibió una llamada de Alejandro Burillo recién llegado a la presidencia de la Comisión de Selecciones Nacionales.

"Él tenía la ilusión, pero al final la decisión es mía, más allá de términos médicos"

Javier Aguirre

Técnico de futbol

Burillo le pidió verlo en los campos de futbol de Pegaso a las cuatro de la tarde, casi una hora antes de que llegaran los seleccionados que recibirían el fin de semana al equipo estadounidense; deseaba hablar con él como capitán del equipo.

"Me reúno con Burillo, Alejandro Orvañanos, Alberto de la Torre y empiezan a preguntarme sobre el equipo. Les di mi opinión.

No era toda la culpa del profesor Enrique Meza sino también de jugadores y de los problemas administrativos: los seguros de los jugadores, el caso de Ramón Ramírez, aunados a lo resultados que no se estaban dando; era una bola de nieve.

Ellos estaban pensando que íbamos mal porque era cuestión de que había "grillos", pero no era eso. Ahí dijeron: 'A partir de ahora entra Burillo en lo administrativo y se va a resolver todo'.

No se habían arreglado los premios a tiempo, había hasta problemas con el pago de impuestos y más detalles. Algunos jugadores decían: 'Mejor ya ni voy a la Selección, ya no me conviene'.

Cuando llega Aguirre a esa reunión, como que ve mal que esté con los directivos, porque debió pensar que había ido por mí mismo, que quería tomar un cargo que no me correspondía o algo más.

Altos mandos ▶

Claudio (de izquierda a derecha) con Alberto de la Torre, ex presidente de la Federación Mexicana de Futbol, Javier Aguirre y Alejandro Burillo, presidente de la Comisión de Selecciones Nacionales en el 2002.

No sé si sabía Aguirre que estaba ahí, pero de entrada lo miré molesto".

Ese domingo entrevistaron a Aguirre en Televisión Azteca. José Ramón Fernández le preguntó sobre la función del experimentado Claudio en la nueva convocatoria: "Ya veo que está contigo ahí", dice el comentarista.

El nuevo técnico negó que Claudio sería el hombre y el capitán del equipo: "No, vamos a ver quién". Claudio jugó contra los Estados Unidos, pero ya no lo llevaron a la Copa América de Colombia.

"Mi reto era que en 20 días antes del mundial le iba a demostrar a Javier Aguirre mis avances"

Claudio

"Entonces desde ahí yo no tenía diálogo con él, hasta que un día me dice: 'Tenías razón de aquello que me dijiste de los jugadores'. Y le comenté: 'No sé cómo interpretaste lo que te dije', de hecho me hiciste sentir un "grillo".

Le habían platicado que hacíamos y deshacíamos en la Selección. Yo me sentía responsable por lo que había pasado, pero seguía siendo el mismo y no podía esconderme porque para mí era muy fácil decirle que no me llamara y ya".

El técnico lo volvió a convocar para los juegos de la eliminatoria y le respetó su jerarquía, pero Claudio no se sentía a gusto porque le hacían ver que ya estaba acabado, incluso le comentaron que tenía que jugar de otra forma.

"Yo le dije a uno de sus auxiliares: 'Mejor ya no me llamen, si ustedes creen que no rindo, ya no me convoquen, tan fácil como eso'. La dirección técnica no me hizo caso. Me sentía bien, jugué casi todos los partidos de la eliminatoria, pero después le dije al "Vasco": 'Ya no quiero estar aquí, no me siento a gusto, ni bien'. El me dice: 'Si ya no quieres estar, juega el último partido contra España en noviembre'. El día que logramos clasificar al Mundial, Aguirre se acercó conmigo en el vestidor y me comentó: 'Discúlpame por lo que ha pasado', le contesté: 'No hay problema, me interesa jugar'".

Con la cara por delante ▶

Claudio no sólo estuvo expuesto a intervenciones en sus extremidades inferiores, la nariz también fue blanco en cinco ocasiones del juego ríspido.

Claudio alineó contra los españoles y perdieron 1-0. No fue el último encuentro porque tenía cuerda para encarar a Yugoslavia y Albania, en el 2002, antes de probar en carne propia el dolor más fuerte en su carrera deportiva: la fractura de peroné de la pierna derecha y el reto de superarla para no causar baja de la lista del Mundial Corea-Japón.

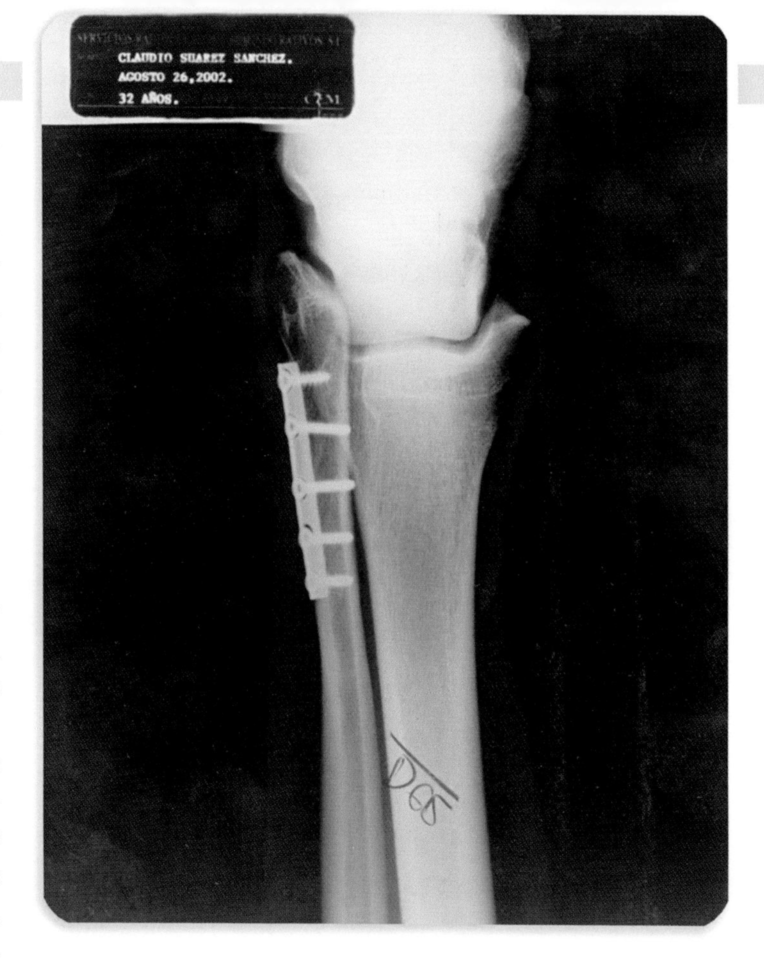

5 clavos ▲

El peroné de Claudio fue unido por una placa metálica que buscaba sellar el hueso y con ello regresarlo a la brevedad a las canchas.

A prueba la determinación

La noche del 2 de abril del 2002 fue muy fría en el Estadio Invesco de Denver, en el corazón de Claudio y en el ánimo de todos sus compañeros.

Faltaban escasos minutos para que Javier Aguirre diera por finalizada la sesión nocturna cuando sucedió un hecho dramático. Claudio y el mediocampista Gabriel Caballero corrieron, en una jugada, por la pelota para ver quién la recuperaba. Claudio quiso girar con el balón y el zapato del pié derecho se atoró en el césped, hizo palanca, cayó sobre su propio cuerpo: se escuchó un ruido espantoso.

El grito de dolor se expandió en lo ancho y largo de la cancha Invesco. Óscar "Conejo" Pérez, quien defendía la portería oyó con claridad: "Tronó como si fuera un palo".

Aguirre sorprendido y asustado dio por terminada la dolorosa sesión, mientras los médicos revisaban al defensa central que se quedaba en el pasto, con el pendiente de que no hubiera nada grave y de no poder jugar su partido 171 con la Selección y quedar fuera del Mundial.

El doctor Radamés Gaxiola llevó de inmediato a Claudio al Hospital en Denver. Después de revisar con cuidado las radiografías aseguró ante los periodistas: "Claudio tiene fractura en el tercio medio del peroné; requiere de seis a ocho semanas de recuperación postoperación y cuatro a seis semanas de rehabilitación". Faltaban 57 días para el Mundial.

Al día siguiente Aguirre dijo, antes del encuentro amistoso contra los estadounidenses, que Claudio quedaba fuera del Mundial, pero que si lograba recuperarse tendría su lugar, de lo contrario acompañaría al equipo como símbolo del Tricolor.

La depresión tuvo poco eco en Claudio, quien al escuchar la propuesta de Aguirre soñó en regresar a las canchas en menos de lo previsto y a pesar del diagnóstico médico nada alentador.

"Médicamente es imposible que un individuo se recupere de una fractura en cinco semanas"

Radamés Gaxiola

Médico del Tricolor 2002

Miguel Ángel Garza Martínez, ex vicepresidente de Tigres y el doctor Rubén González volaron el miércoles tres de abril, de Monterrey a Denver para conocer la situación de su jugador. Garza Martínez le dice en privado: "Estamos buscando un especialista; nos interesas como persona antes que jugador del Tricolor o Tigres".

La esposa de Claudio, con lágrimas en su rostro, ya los esperaba en San Antonio. En el Hospital North Central Baptist, el doctor Mervin Brown, especialista en pie, había preparado todo para que el jueves 4 de abril, con anestesia total, Claudio quedara en 45 minutos como "nuevo".

La placa delgada que le puso Brown, para unir el peroné, estaba afianzada con 5 tornillos; el diagnóstico que dio fue mejor que el anterior y más esperanzador que el de Radamés que al final de la cirugía tuvo la osadía de decir: "Hay uno por ciento de probabilidades que Claudio vaya al Mundial".

El día cinco de abril, Claudio regresó a Monterrey y el 11 volvió con Brown para que le quitara el yeso. El doctor quedó impresionado por la rapidez de su recuperación y lanzó a los vientos: "En seis semanas puedes apoyar".

A ocho días de la lesión de Claudio el inglés David Beckham se lesionó el segundo metatarso del pie izquierdo. Quedaban casi 50 días para el Mundial y la Federación inglesa contó, de inmediato, su mortificación a FIFA.

El organismo internacional abrió oportunidad para que el astro inglés fuera registrado hasta 24 horas antes del evento, con la advertencia de que la lista de todos menos uno debería llegar a Zurich, junto con la de los otros países, el 21 de mayo.

La Federación Mexicana se emocionó al conocer la respuesta de FIFA y Claudio más. En una reunión de presidentes de equipos en la Federación Mexicana, en ese mes de abril, acordaron, aparte de la reelección de Alberto de la Torre en la FMF, contarle a Joseph Blatter presidente de FIFA, el sufrimiento mexicano para que hiciera otra excepción a la regla.

Claudio nunca supo si la solicitud llegó a Suiza, pero fue suficiente para que él sacara fuerzas de la debilidad y apretara las cuerdas de la disciplina en su recuperación, pues además sentía el apoyo de Aguirre, de aficionados, futbolistas y directivos.

Por su parte, Claudio se metía a la piscina, entraba al gimnasio y aguantaba toda la carga de trabajo que el kinesiólogo Josué de la Rosa le dictaba al estilo regio.

A la hora de dormir Claudio se ponía un aparato en el lugar de la lesión; duraba 10 horas cada noche por 20 días seguidos. Cuando Brown vio el registro en el instrumento se llevó la sorpresa de su vida al constatar la firmeza de carácter del mexicano por lograr su objetivo; le parecía extraño, casi milagroso, que la lesión sellara más pronto de lo imaginado.

Paso a pasito ▲

La penosa y dolorosa etapa de rehabilitación mostró a Claudio como un guerrero. Abajo, el alta médica con las indicaciones necesarias para que Claudio tuviera grandes posibilidades de ir al Mundial del 2002. Página siguiente, Claudio en el Estadio Azteca en un homenaje por su trayectoria. Rafael Lebrija (de izquierda a deracha) y Alejandro Burillo.

"El doctor Brown me hizo unas pruebas que pasé sin problemas y me dio de alta manifestando que ya podía intensificar mis trabajos"

Claudio

Brown le dejó tarea a Claudio; le puso rutinas para que fortaleciera lo que debería fortalecer. El tiempo del Mundial estaba cerca y el entusiasmo de Claudio contagiaba a los cercanos y preocupaba a los más distantes.

Le emocionaba saber que la pierna derecha le respondía. Buscó a Aguirre para participarle de los avances y él lo motivó a seguir, aunque en conciencia ya no lo tenía en la mente. El doctor Radamés le había dicho a Aguirre que la fractura aún no había sellado bien.

Claudio se presentó el sábado 11 de mayo en Pegaso, en vísperas de un reconocimiento a su trayectoria internacional por parte de la FMF.

Caminaba sin dificultad y ya trotaba. Habló con Aguirre en el gimnasio del lugar de concentración. El técnico no podía creer lo que Claudio le explicaba. El jugador le decía al "Vasco": "Dame la oportunidad de ir con ustedes, de luchar por un sitio. Lo único que quiero es que me des chance de saber cómo estoy, sino puedo yo te digo". Aguirre le dijo: "Consigue el alta del médico allá en San Antonio y hablamos"

El lunes 13, Claudio fue y regresó con el visto bueno. Con entusiasmo le dijo a la prensa en Monterrey: "El doctor Brown ya me dio de alta, por lo que prácticamente ya podré hacer todo lo que se requiera para poder jugar".

Con cierto presentimiento de que las cosas no estaban a su favor en la Selección, llegó el mismo día que el Tricolor salía al Mundial.

Claudio esperó a Aguirre y él le dijo que estaba fuera de Corea-Japón. Pero Claudio insistió: "Dame la oportunidad, sino puedo te lo comentaré, la cancha lo dirá". Aguirre no accedió.

Claudio se entristeció, pero al mismo tiempo se alegró porque no había quedado en él. El esfuerzo requerido en esos días había sido más intenso que dos Mundiales juntos. Claudio descubrió que su esencia de luchador y de guerrero lo tenía listo para regresar a la cancha.

Su tenacidad, perseverancia, disciplina, trabajo, coraje, fe en sí mismo y en Dios estuvo a prueba por casi un mes y medio.

Su carácter se fortaleció y llegó hasta las últimas consecuencias; sin querer dejó huella ejemplar.

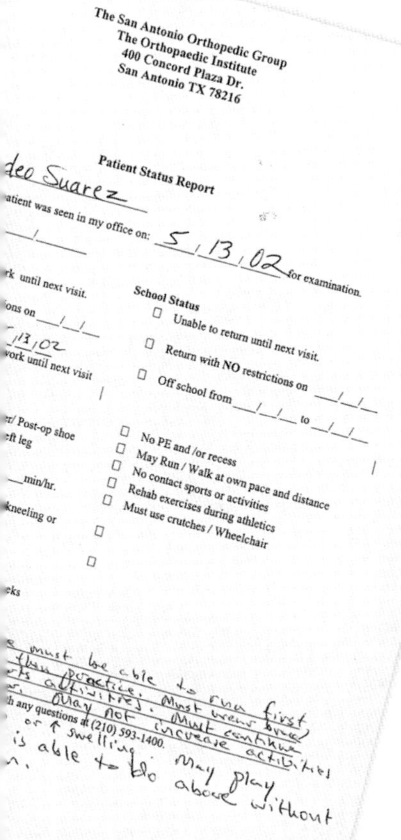

The San Antonio Orthopedic Group
The Orthopaedic Institute
400 Concord Plaza Dr.
San Antonio TX 78216

Patient Status Report

deo Suarez

atient was seen in my office on: 5/13/02 for examination.

rk until next visit.

ons on __/__/__

/13/02

work until next visit

School Status

☐ Unable to return until next visit.
☐ Return with NO restrictions on __/__/__
☐ Off school from __/__/__ to __/__/__

er/ Post-op shoe

eft leg

__min/hr.

kneeling or

eks

☐ No PE and /or recess
☐ May Run / Walk at own pace and distance
☐ No contact sports or activities
☐ Rehab exercises during athletics
☐ Must use crutches / Wheelchair

must be able to run first then practice. Must wear brace [illegible] activities. Must continue [illegible] May not increase activities or ↑ swelling. May play [illegible] is able to do above without [illegible]

h any questions at (210) 593-1400.

"Empezar entrenamiento. Primero debe ser capaz de correr, luego correr y hacer cortes, luego entrenar. Debe utilizar soportes (ortopédicos) para todas las actividades deportivas. Podría no incrementar las actividades si tiene dolor o inflamación. Podría jugar el partido del 6/3/02, si es capaz de hacer lo arriba mencionado sin dolor"

Dr. Mervin Brown

Hospital North

Central Baptist

Zarpazo de tigre

El proceso

Tenía razón Ricardo Ferretti en pedir la contratación de Claudio cuando llegó a Tigres.

Necesitaba una figura que impusiera respeto en el equipo, que ordenara la defensa como mandan los cánones e inyectara ánimo, carácter y determinación, con una fuerte dosis de valor, para hacer vibrar a cientos de miles de aficionados.

Enrique Borja, presidente de la institución, no tardó en tomarle la palabra a "Tuca" y perseguir al zaguero antes de que Benito Floro, entrenador del Monterrey, le ganara el paso.

"Yo creo que todos los jugadores deben estar bien metidos para ganar un campeonato"

Claudio

Chivas abrió la puerta, en el *draft* de junio en Acapulco del 2000, para dejar ir a Claudio al mejor postor. Como en sus mejores tiempos, Borja se adelantó a la jugada para anotar otro "gol" que sería imborrable para la historia de Tigres.

Claudio arregló con Borja su ida a los felinos de teléfono a teléfono. Al que fuera ídolo del futbol mexicano en los 70's no le costó ponerse de acuerdo con otro de la misma altura; hablaron de tú a tú.

"A Borja le dije mis pretensiones económicas, no hubo problemas, las aceptó de inmediato; él se portó muy bien conmigo".

A Claudio le avalaba su trayectoria en Chivas, Pumas y la Selección Nacional además contaba con el apoyo incondicional de quien lo había forjado, entre gritos, regaños y a veces con apapachos.

El argumento de Ferretti de por qué pedía un refuerzo de 31 años de edad fue contundente ante los medios: "Porque es una excelente persona y un excelente jugador; cualquier equipo lo quisiera tener".

El brasileño avecindado en México necesitaba otro "técnico" en la cancha y qué mejor que fuera su discípulo, quien por nueve años había aplicado sus enseñanzas. Era el vehículo perfecto para que a los demás les cayera, con exactitud la nueva aplicación del sistema de juego.

De entrada, Ferretti no se mortificó y pidió a la afición que escogiera al capitán del equipo en algo que consideró "una votación democrática". Claudio rebasó a sus compañeros por mucho y él aceptó con orgullo el reconocimiento que los seguidores le hacían.

La directiva de Tigres ansiaba superar la racha de no clasificar a una Liguilla desde la campaña 96-97.

Conquistador de las canchas ◄

Claudio concentrado, vigilante, con sus ojos siempre fijos en el objetivo, desde donde se prepara para atacar al contrincante en su selva favorita: el campo de futbol.

Para tal hazaña requerían de un personaje con determinadas características. La deficiencia de los anteriores planteles estaba en que no existía quien llevara la batuta.

"Nosotros lo que buscábamos", dice Miguel Ángel Garza, ex vicepresidente de Tigres: "Era un líder en la cancha que pudiera marcar la diferencia, que transmitiera esa tranquilidad que da el hombre de experiencia; que manejara a toda la defensa y fuera del campo, al equipo". Sin duda Claudio cumplía con ese perfil.

Un nuevo camino ▲

La llegada de Claudio a Tigres lo fortaleció en su ánimo y carácter. Con los felinos mantuvo siempre una actitud positiva.

El Torneo de Invierno 2000 sirvió para mostrar que no todo lo que brilla es oro. Las ilusiones puestas por la afición en las nuevas promesas se vinieron abajo en la Jornada 17 cuando Tecos, en Zapopan, les empató el juego. A los felinos no les alcanzó el 19 de noviembre para romper con el maleficio.

El balance hecho por jugadores, directivos y aficionados decepcionados fue: rotundo fracaso. "Tuca" en un gesto de impotencia dijo que se iba del timón. Borja oyó las insinuaciones de Ferretti, pero confirmó su continuidad.

Claudio aprobó la decisión del presidente de la institución porque decía que los equipos que llegan a campeonar juegan juntos por mucho tiempo: "Y no como en otros equipos que quitan a los técnicos cada año, así no se puede", comentaba ante la prensa.

"La gente que vestía la camiseta no agarraba bien la idea de lo que quería "Tuca"; fue un torneo difícil, hubo desesperación por parte de la afición y Borja nos habló muy fuerte".

"Siempre he estado acostumbrado a jugar constantemente y esto ha dependido de la confianza que el técnico y la directiva me tenga"

Claudio

Van por el bueno

La confianza redituó en el Verano 2001 porque poco a poco se empezaron a dar los resultados.

En la Jornada 16, Jorge Santillana se encargó de anotar dos goles al Celaya que sirvieron al equipo para clasificar. Los tiempos de sequía de casi cuatro años habían quedado atrás. Al parecer la madurez del conjunto empezaba asomar la nariz con todo y la cabeza rapada de los jugadores en cumplimiento de una promesa por haber clasificado; fue una manda.

Claudio se aventó al ruedo y advirtió que ese equipo estaba para el título. Muy firme decía el 14 de abril: "Llegó la hora de pensar en la Final, porque hay un buen grupo y la afición está muy contenta".

Los poblanos quemaron con fuego las ilusiones de quienes habían terminado en el cuarto lugar general; con marcador global de 3-1 los mandaron a preparar la pretemporada antes de lo previsto.

"La gente estaba muy involucrada", dice Claudio: "Mandaron hacer una especie de pelonas que regalaron antes del partido y cuando perdimos nos las aventaron, nos recriminaron todo lo que habíamos hecho".

Tigre volador 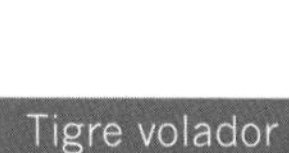

Pareciera que ésta es la consigna de Claudio, del guerrero. Enfrentándose a figuras de la actualidad, como Cuauhtémoc Blanco, en donde dejaba una muestra irrefutable de su trascendencia.

Los Tigres no se desalentaron y afilaron las garras para el Torneo Invierno 2001. Ese campeonato fue inolvidable para los pupilos comandados por "Tuca" Ferretti; se unieron los fieles seguidores y los enemigos quedaron sorprendidos.

Lograron el primer lugar general que desde el torneo 78-79 no probaban; los viejos no se acordaban y los jóvenes en edad de votar no se imaginaban qué se sentía.

Sin ser la mejor delantera, pero sí la mejor defensa y con 36 puntos en los registros, Tigres tenía la oportunidad de enfrentar, por reglamento, al octavo en la tabla general.

Santos sería su rival en Cuartos de Final; ya los habían vencido por vez primera, en la penúltima jornada, allá en Torreón.

Tigres jugó como de costumbre. Con global de 4-1 eliminaron al campeón e hicieron la proeza de pasar a la siguiente ronda, que desde la temporada 81-82 no experimentaban; tan sólo habían transcurridos 19 años entre uno y otro.

El rival que seguía en Semifinal era Cruz Azul. Las luces de precaución se prendieron en el campamento felino después de que los comandados por José Luis Trejo les sacaron un susto en el Estadio Azul, de la Ciudad de México, a los felinos del "Tuca".

Regresaron al Volcán con un gol abajo en el marcador; la anotación de Marinho Ledezma les daba confianza a los cementeros que llegaban a la Sultana del Norte con mayor tranquilidad y quizá más confiados.

Por la hazaña

En la Semifinal que viviera Tigres frente al Cruz Azul, Claudio pasó uno de los momentos más importantes de su carrera. Fue líder de un equipo que buscaba la experiencia de jugar una Final de futbol.

Abajo, Claudio siempre pegado con el objetivo de recuperar el balón.

La gente en Monterrey estaba desconcertada; la reacción de los aficionados a Tigres era extraña, pues por años no habían vivido la oportunidad de disfrutar un momento tan emotivo.

Claudio era el más asediado por la prensa; las palabras de él significaban mucho y todo. La seguridad y tranquilidad mostrada en las entrevistas ofrecían a los aficionados la certeza de que la mínima ventaja que traía Cruz Azul no era para tanto.

Y así lo fue, porque cuando Felipe Ramos Rizo, árbitro del encuentro, marcó un penal provocado por Melvin Brown a Irenio Soares, los 43 mil apasionados en estadio gritaron a una voz: "Sí se puede".

Aplaudieron, se abrazaron, no daban crédito que el gol del triunfo pudiera estar a 11 pasos, pero ahora tenían una pregunta: "¿Quién lo va a tirar?"

Los nervios en la tribuna eran tan intensos que se extendieron a los que estaban en la cancha. Los jugadores se volteaban a ver, algunos dispersaban la mirada hasta que unos gritos que llegaron provenientes de la línea les dio alivio, tranquilidad, serenidad y confianza.

Desde la banca se oyó la voz del "Tuca": "¡Claudio, Claudio, que lo tire Claudio!".

"Aquí en Monterrey", dice Claudio: "Era una locura porque Tigres llevaba muchos años sin estar en una Final. La gente estaba muy prendida.

"Con los jugadores con los que he jugado, Claudio es más representativo por lo que él ha significado; aparte es un gran amigo y una gran persona"

Antonio Sancho

Jugador de futbol

La virtud de la templanza

C10 HOUSTON CHRONICLE

SOCCER

INTERLIGA FINALS

Tigres led by benevolent 'Emperor' Suárez

■ From Monterrey to Reliant Stadium, veteran star shows right way to play

By GLENN DAVIS
CHRONICLE CORRESPONDENT

When athletes play beyond the normal career span in a sport, many wonder what it takes to keep them going.

Why do only a select few enjoy extended playing careers, while others with potential falter?

For an answer, look to 36-year-old Claudio "The Emperor" Suárez of Tigres.

Fans will have the opportunity to view a living legend in Suárez, who will line up as a defender for Tigres in Wednesday's InterLiga finals against Toluca.

Suárez, a native of Mexico, has made more international appearances for his country (170) than any other male player in the history of soccer.

His club career, which began in 1989 at UNAM Pumas, also has taken him to Chivas and now Tigres of Monterrey.

In 1997, Suárez led Chivas — which also qualified for Wednesday's InterLiga finals at Reliant Stadium — to its 10th Mexican League championship by defeating Toros Neza.

He reached the pinnacle of soccer, the World Cup, three times and is a legend of the stature of striker Hugo Sánchez in Mexico.

"I feel good physically and happy when I play the game," Suárez said smiling. "I still enjoy what I do, but physically I need to feel good because soccer is so quick."

Speaking of quick, Suárez and fellow Tigres defenders Mario Ruiz, Hugo Sánchez and Omar Briceño will have to deal with the explosiveness of Toluca's attack, which features Paraguayan José Cardozo, considered one of the greatest foreigners to play in Mexico.

Earlier in the InterLiga tournament, Cardozo was Toluca's lone scorer in a 2-1, come-from-behind victory over Club América at the Home Depot Center in Carson, Calif.

A master at finding good goal-scoring positions and using his body, Cardozo and midfielder Vicente Sánchez will be a handful for Tigres, which will employ a four-back system with Suárez marshalling the middle.

"Toluca is a strong team with good players," said Suárez. "With Cardozo and Vicente Sánchez they are very difficult. As defenders, we have to mark them well."

With his vast experience and wisdom, Suárez influences younger players at Tigres.

"It is a lot of responsibility for me. The team is making progress and we have to push it hard, but it is a bit too early to say the team is at 100 percent," Suárez said.

Fans and players speak of Suárez as a star who remains humble and respectful to the game. He hopes to play two more seasons while helping Tigres advance to the Copa Libertadores this Wednesday night.

AGENCE FRANCE PRESSE

EMPEROR'S EMBRACE: Tigres' Claudio "The Emperor" Suárez will be one of the main attractions Wednesday night as his team battles Toluca at Reliant Stadium for a spot in Copa Libertadores, South America's premier club tournament.

THE EVENT

- **When:** Wednesday.
- **Where:** Reliant Stadium.
- **Schedule:** Tigres vs. Toluca, 7 p.m.; Chivas vs. Jaguares, 9:30
- **Tickets:** Available at Fiesta and Foleys stores, at www.ticketmaster.com or by calling 713-629-2909.

EN ESPAÑOL

En silencio, los miles de aficionados en las tribunas tenían los ojos puestos en el experimentado jugador, además de los millones que lo seguían por la televisión. Nadie dudó de Claudio aunque en ese torneo no había anotado un gol.

Claudio con toda la tranquilidad hizo ver al público como si fuera a cobrar un tiro de esquina, una falta en media cancha o quizás un despeje de meta. No tenía nervios; sólo en su mente revoloteaba la misión de cumplir con éxito una gran responsabilidad. En un par de segundos llegó a observar, sin que se perturbara, más chica la portería y a Óscar "Conejo" Pérez, más grande.

Puso la pelota en el manchón penal y se concentró: "En no dejar pasar la oportunidad". Cobró la falta con frialdad y precisión que hizo vibrar, a los 52 minutos del encuentro, a pobres y ricos, políticos, religiosos, seglares, ateos y creyentes.

Como nunca ▲

Pareciera que Claudio se prepara para emprender el vuelo. Esa presencia, representativa de su nivel e importancia para el futbol nacional, es una de las características que lo sitúan en otro estatus, llamando la atención de la prensa extranjera. En la imagen, aparece en un diario de Houston, Texas.

Pocas veces se le ha visto sonreír como en ese instante; después de que la pelota movió la red quiso volar, pero con los pies en la tierra. Su gol lo confirmaba en palabras del comentarista Roberto Gómez Junco como: "El mejor tirador en la historia del futbol mexicano de panaltis de mayor importancia; a quien ni siquiera en Copas del Mundo le han temblado las piernas".

Cuando el árbitro señaló con sus brazos y con el sonido de su silbato que se había acabado el encuentro, los aficionados en el inmueble sacaron pañuelos, aplaudieron, gritaron, estaban felices no sólo ellos sino también los tigres viejos que aseguraban haber tenido esa experiencia hacía 20 años.

El capitán felino se quitó la playera y la regaló a quien sabe quién; se dejó abrazar y felicitar. Él correspondió a los que se le acercaron sin perder el control de sí mismo y mucho menos la visión del siguiente rival.

Sabía que aún faltaba uno por vencer, que todavía no se ganaba lo más importante. En un instante recordó la derrota en la Final

Chivas-Necaxa en el Jalisco, en el Torneo de Invierno el 13 de diciembre de 1998.

La emoción duró lo suficiente para pensar con exactitud en el contrincante a la vista.

Cuando supo que Pachuca había eliminado al Toluca, sus pupilas se contrajeron y dijo a la prensa: "Los Tuzos son un rival muy peligroso, creo que no podemos festejar nada; tenemos que hacerles, en el primer juego, el mayor daño".

"El presidente del equipo Alejandro Rodríguez venía muy enojado y decía: 'Les vamos a hacer lo mismo a los directivos del Pachuca', a fin de cuentas no se vengó"

Claudio

Arribaron a la Bella Airosa el 12 de diciembre con seguridad, pero no mucha. La mayoría del plantel, incluidos los directivos eran primerizos; todos ellos padecían frío y sólo un empate o triunfo los calentaría.

Los de casa se avivaron fuera y dentro de la cancha; el objetivo era desestabilizar, en lo emocional, a quien vistiera playera azul con oro. Los hombres de pantalón largo provenientes del norte no sabían lo que les esperaba. Ese mismo día se quejaron ante los medios y la FMF de que los altos mandos de los Tuzos habían "tolerado" incluso colaborado en situaciones anómalas antes y durante el partido.

Para ese entonces el presidente felino era Alejandro Rodríguez; sus acompañantes Fernando Urdiales y Miguel Ángel Garza no podían creer las sorpresas que les esperaban en el ambiente "de ida".

La decisión de los directivos del Pachuca fue darles, a los visitantes, acceso a un palco, con todas la comodidades, pero antes tendrían que pasar, en fila india y sin escolta, entre el público de la tribuna. Según el reclamo de los Tigres, la directiva tuza permitió que el sonido local incitara, durante el partido, al aficionado de casa; además que un sector del público arrojara bengalas cada vez que la pelota se acercara a la portería de los del norte y proporcionó corriente eléctrica a quienes usaron reflectores para molestar al portero Óscar Dautt y a otros jugadores tigres.

Defensa goleador ▼

Claudio festeja uno de sus 43 goles anotados hasta el 2005 en el futbol mexicano.

Para redondear la noche Ricardo Ferretti y sus asistentes fueron agredidos en la banca cuando cayó el primer gol, con un cohetón que obligó al brasileño a meterse a la cancha y al árbitro a suspender, por unos minutos, el juego mientras se ponía bajo control al "insurrecto". Los del Pachuca no negaron, pero se disculparon. Pidieron a la directiva felina que se comportaran bien en el juego "de vuelta", según la educación que les había caracterizado y que olvidaran todos las detalles de "cortesía".

Transcurridos los primeros 15 minutos de juego el árbitro Armando Archundia ya les había sacado la amarilla a más

El verdugo ▲

Pachuca se encargó de echarles a perder la fiesta en Monterrey de manera sorpresiva.

"Claudio fue mi paciente por varios años; yo le daba el tratamiento y creía que iba a tardar más en volver a jugar y de repente aparecía a la semana de titular con el equipo"

Rafael "Atotonilco" Ortega

Médico deportivo

de dos. El partido era intenso con llegadas en ambos lados, pero con algunos golpes. A Irenio Soarez le puso en la cara la roja en el 18', luego de una falta que el silbante consideró de segunda amarilla para el brasileño. Irenio se fue a las regaderas y dejó a la intemperie a sus compañeros. Dos goles se registraron en la primera parte a favor del Pachuca y con esos sellaron el encuentro; algunos aseguraban que a los regios les pudo ir peor.

Al final del encuentro cayeron sobre el silbante, aparte de elogios y bendiciones de los hidalguenses, las críticas feroces de unos tigres a punto de expirar.

"Creo que no se jugó tan mal; la expulsión de Ireneo fue un poco rigorista. Hubo algunas jugadas similares y Archundia no sancionó de la misma manera. Tuve el sentimiento de que nos robaron muy feo. Sé, con tantos partidos que he jugado, cuándo el árbitro empieza a buscar que alguien pierda el encuentro o cuándo se carga con el local.

Nos descontrolamos en ese momento y recibimos en los minutos 22 y 27 esos goles, creo que ahí perdimos el campeonato. Porque después de que ajustamos y nos acomodamos en la cancha el equipo estuvo bien a pesar de la presión que ellos ejercían. Muy cerca del final del partido tuvimos una clara oportunidad de gol que Carlos Ochoa falló ante Miguel Calero. Nos trajimos un marcador medio pesado, pero el Pachuca también tenía buenos jugadores y se defendía muy bien".

No era tiempo para darle atención al pasado, por ello Claudio distinguía con claridad que lo único real era el presente. Su fortaleza física y espiritual impregnaba a todos un sentimiento de unidad y lucha. Lo importante para los jugadores de Ricardo Ferretti lo tenían cerca de ellos, no más allá del sábado 15 de diciembre.

El Volcán hizo su primera erupción muy cerca del inicio del partido, el estadio se estremeció, las esperanzas se avivaron en todos los felinos.

"En el primer tiempo nos fuimos rápidamente en ventaja con anotación de Jesús Olalde en el minuto 19. Necesitábamos un gol más para empatarle a Pachuca en el marcador global y obligarlos a jugar más abiertos o irnos a penales si fuera necesario.

En el minuto 71 viene una descolgada y un golazo de Walter Silvani; es un tiro que vuela a Óscar Dautt. Realmente nadie esperaba que le fuera a pegar desde media cancha. A pesar del gol el equipo nunca

bajó los brazos, luchó hasta el último. Me acuerdo que yo me fui de centro delantero, estaba en el área, tuve una jugada espectacular, fue una chilena que Miguel Calero la sacó. Después de ese momento sentíamos que no le metíamos gol a Pachuca. Traían mucha suerte, Calero estaba parando todo porque hubo varias oportunidades, pero nada, ya no entró el balón.

Nos dolió mucho la derrota, pero nos quedamos con la satisfacción de que entregamos todo, luchamos hasta el último minuto, nunca bajamos las manos".

Cuando Felipe Ramos Rizo dio por terminado el juego las lágrimas se derramaron en todos los que estaban en el estadio: unos por la alegría de ganar y otros por el dolor y esfuerzo de no haber cumplido con el anhelo de darle una estrella más a los Tigres.

¿Quién dice que perdieron?

▲

Tigres no podía creer lo cerca que habían estado del título. Claudio como sus compañeros, protestaban cada una de las decisiones arbitrales en espera de un cambio en el rumbo del encuentro.

Los jugadores se fueron desolados al vestidor, pero 30 mil aficionados se mantuvieron en las tribunas con la cara en alto y cantando. No se iban a sus casas sin antes ver, en esa noche, a sus subcampeones. Les gritaban, ondeaban banderas, entonaban canciones, les echaban porras. "Tuca" Ferretti no resistió más y a los 25 minutos impulsó a sus jugadores a dar la cara y corresponder a su afición. No hubo uno que se quedara en la regadera, todos salieron a dar la vuelta olímpica acompañados por sus esposas, novias, padres.

"La gente estaba feliz, yo muy triste. No quería salir de los vestidores y me sorprendió que la gente parecía que habíamos ganado el campeonato. El "Tuca" me animó: 'Levanta la cara, me siento satisfecho por la forma en que jugaron todos'.

El del sonido local me dio el micrófono para que hablara con la afición y dije: 'Los defraudamos con el resultado', y la gente respondió: 'No, no, no' y más nos animaron porque por nosotros no quedó, luchamos para obtener ese título.

Cuando salimos hubo una gran fiesta, estaban contentos por todo lo que se había logrado; a pesar de que no conquistamos el título la gente salió a festejar a las calles. Nos quedamos con la satisfacción de haber entregado todo".

Para el siguiente torneo al equipo le costó trabajo levantarse. La resaca de lo acontecido empezó a cobrar la factura. Los tiempos de emoción y satisfacción daban paso para una exigencia mayor a quienes habían sacado a cientos de miles de aficionados de un letargo.

A dar la cara ▼

Consciente de su responsabilidad y de la falla en el cumplimiento de las expectativas autoimpuestas, Claudio dio la cara por su equipo ante la afición, con valentía y orgullo. El público se lo agradeció como si hubieran sido campeones.

"Nos afectó tanto", dice Miguel Ángel Garza, ex vicepresidente de Tigres: "que el siguiente campeonato no nos recuperamos de esa frustración de la Final. De hecho el equipo no tuvo una pretemporada, no clasificó porque estaba acabado el equipo, pero mentalmente. Eso sólo se empieza a contagiar con los triunfos, buen futbol y la auto confianza".

El 2002 le deparaba a Claudio otros dolores preocupantes que lo harían más sólido en su forma de vivir y mirar el mundo.

En abril de ese año se fracturó el peroné y no fue al Mundial en junio y justo en la pretemporada de fin de año ingresó al quirófano por un problema de rótula de la pierna derecha; ahí festejó sus 34 inviernos.

"Estaba con el equipo en Guadalajara cuando empiezo a notar que la rodilla se me inflama y no aguanto el dolor. Me revisa el doctor Rubén González y asegura: 'Tienes una condromalacia rotuliana en un grado alto, necesitas una limpieza en esa zona de la rótula'.

Me regreso a Monterrey y cuando menos me espero termino operado por la noche del 17 de diciembre. Una enfermera se acerca a mí y me empieza a pedir mis datos y cuan-

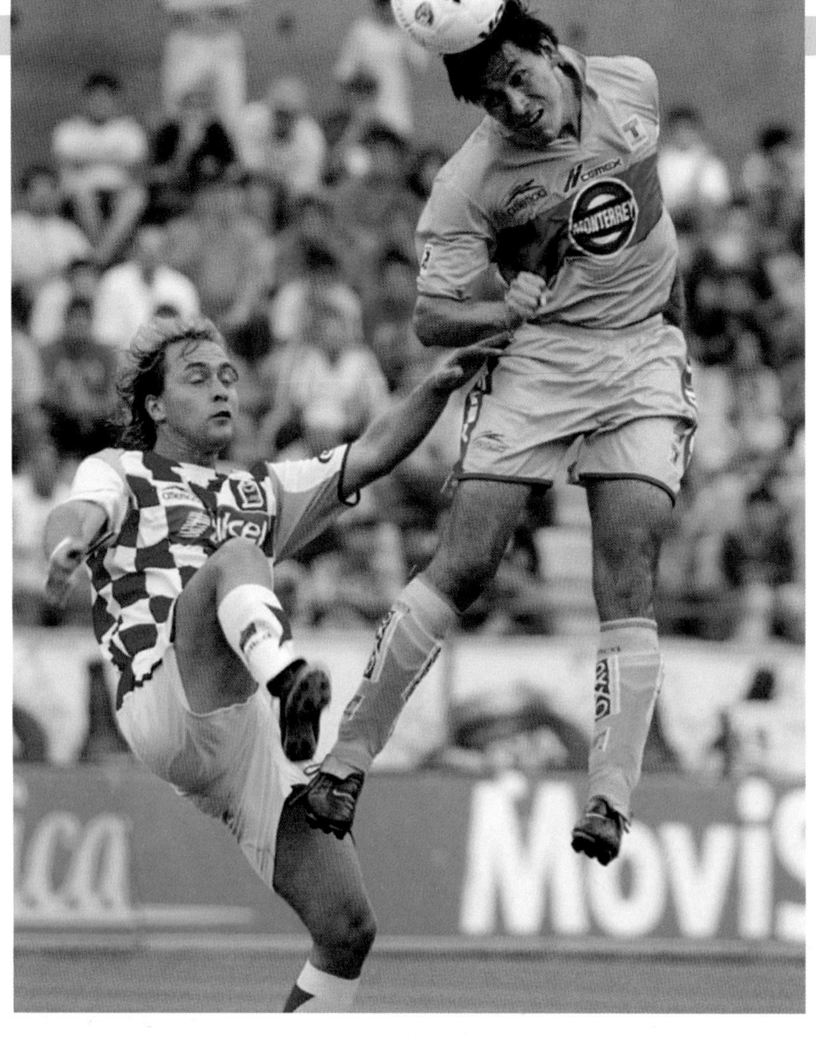

Otra oportunidad

Tigres pretendía recuperar el rumbo y cobrar revancha por lo ocurrido en la Final ante Pachuca, al iniciar un nuevo torneo.

do me pregunta: '¿Su fecha de nacimiento?' se la doy y sorprendida comenta: 'Hoy es su cumpleaños, ¿cómo que está aquí en la plancha? debería estar festejando'. Tan sólo le dije: 'La necesidad de recuperarme pronto para jugar'".

"Yo creo que es de los jugadores que por su perfil y por sus logros van a marcar historia dentro del futbol mexicano"

Fernando Urdiales

Ex presidente de Tigres

El pronóstico del doctor Roque Yáñez fue de mes y medio para que Claudio se incorporara al plantel.

El médico lo dio de alta el cuatro de febrero con la palabra de especialista de que podría jugar para la Jornada 7, si el técnico lo requería.

Ocho días después Claudio no aguantó las molestias provocadas por la fuerte carga de trabajo: tuvo dolores y la rodilla se le inflamó no tanto, pero si para preocuparse por seis meses más.

"El siguiente torneo Clausura 2003 no tuve acción; los médicos me decían: 'En dos meses estarás jugando'. Pero no sé si se equivocaron porque después del plazo señalado intento entrenar y me dolía; hicieron estudios y todavía no estaba en condiciones.

Ese torneo el equipo hace una buena temporada; casi en la Liguilla me empiezo a recuperar, pero no estaba aún, incluso hay una presión

"Yo te lo aseguro que Claudio llegó a jugar lesionado, pero no limitado, se veía bien, le alcanzaba el coraje"

Rafael "Atotonilco" Ortega

Médico deportivo

de la gente de que jugara, pero "Tuca" me dijo muy claro: 'Te voy a cuidar para el siguiente torneo'.

En Semifinales se pierde con Rayados y ahí se da la salida del "Tuca"; la directiva muy molesta lo cesa".

Aprovechar la oportunidad

Para la Apertura 2003 llega Nery Pumpido y aprueba que pongan transferible a Claudio aunque éste no llega al *draft* porque el nuevo técnico se retracta a tiempo

"Yo creo que él pide referencias mías y después solicita a la directiva que me quede. De hecho yo estaba tranquilo porque Daniel Passarella ya se había interesado por mí para reforzar al Monterrey.

Inicia el torneo y no soy titular, estaba en la banca, pero cuando David Oteo se lesiona, Pumpido me da la oportunidad de estar en la alineación contra Querétaro. El equipo juega muy bien de visitante y goleamos 7-1. De ahí Pumpido me deja, a pesar de estar batallando, con la rodilla de que a veces no podía. Pumpido siempre me respetó mi jerarquía y todo lo que había hecho. Él me veía y creo que se daba

Nuevas esperanzas ▼

Nery Pumpido tomó el timón y puso a Tigres en los primeros planos al llegar a otra Final del futbol mexicano.

cuenta de que ayudaba en la defensa. Esa fue una muy buena temporada y llegamos a la Final.

El equipo era constante y metimos 30 goles. La gente estaba muy entusiasmada con nosotros y con Pumpido".

"Tuve un problema y me asusté y pensé en dejar de jugar, después de unos estudios de corazón, pero gracias a Dios no fue más que una falsa alarma. Me siento bien, y quiero jugar un par de años más y después veremos"

Claudio

Otra vez Tigres llegó a la Liguilla como súper líder, ahora con 38 puntos. Los pupilos de Pumpido habían creado la imagen de una escuadra que jugaba mejor de visitante que de local. Los resultados hablaban por sí solos y la esperanza centrada en los jugadores tenía fundamento; no era propio de la fantasía, aunque la fantasía había sido un recurso necesario para lograr el primer sitio.

Iniciada la Liguilla, Tigres se despachó a Cruz Azul, le ganó en la Ciudad de México y perdió en su casa, pero el empate en goles y puntos le favorecían para hacerle una travesura al siguiente en turno.

Los toluqueños dirigidos por Ricardo Ferretti se despacharon a las Chivas, en el repechaje y días después a los Pumas de Hugo Sánchez. Recibieron muy calientitos a los comandados por Nery Pumpido y les clavaron uno, suficiente como para levantar la cara en el Volcán.

La derrota no desanimó a los auriazules, se prepararon para superar la mínima diferencia en Monterrey y con un 2-1 global se montaron en el Cerro de la Silla para que desde ahí todo mundo viera de qué cueros salen más correas.

El único detalle es que Claudio salió expulsado en el 45'. La primera amarilla estuvo bien marcada por Jorge Eduardo Gasso Flores; la segunda, dicen, un poco rigorista por querer compensar el error que tuvo, minutos antes, al echar de la cancha al toluqueño Israel López.

Claudio se enfureció más allá de la tranquilidad y ecuanimidad que le caracteriza; dijo lo que sentía desde sus alborotados sentimientos, aunque de nada le valió para que el árbitro reconsiderada su decisión.

"Le dije a Gasso que se había equivocado muy feo: '¿Sabes qué? Nosotros nos jugamos mucho en un torneo y tú por querer compensar, por equivocarte, por no

Obstáculos a vencer ▲

Al enfrentar en una Liguilla al Toluca, Tigres y en especial Claudio, se vieron de nuevo las caras con quien fuera su entrenador: Ricardo Ferretti. De ese encontronazo saldrían vencedores los auriazules para buscar venganza ante el Pachuca.

darte cuenta me echas. ¿Sabes que? Eres un pendejo'. Igual hasta le menté la madre porque estaba muy enojado.

Él me dijo: 'No me insultes porque te voy a reportar', y le respondí: 'No me importa que me reportes, eso no se vale'.

Uno trabaja toda una temporada y la verdad ya estás tan cerca y por una decisión de los árbitros, en la que se equivocan, se me hace una injusticia.

Ahora dicen que han cambiado el reglamento, que castigan cuando se equivoca el árbitro, pero en ese entonces, a pesar de que ellos se equivocaron me perjudicaron, no podía jugar el primer partido de la Final. Por eso estaba muy molesto.

Lo que Gasso puso en la cédula fue: 'Por sujetar a un adversario previa amonestación'".

Otra final con derrota

Claudio pasó, en la tribuna del estadio Hidalgo, su cumpleaños 35 con los ojos cuadrados y el corazón entristecido.

Desde ahí miró cómo su portero Gustavo Campagnuolo cometía un error que le daba la primera anotación a los dirigidos por Víctor Ma-

nuel Vucetich. Pero también cómo se rifó el físico para detener tres ó cuatro acciones de gol que motivó a su compañero Irenio Soarez para que emparejara los cartones.

Con lo que no contaban era con la astucia de Adolfo "Bofo" Bautista, quien les hizo el que seguía y provocó un penalti que Francisco de Anda selló para un terrible 3-1.

"El equipo se equivoca en el segundo tiempo cuando íbamos empatados; fallamos jugadas claras de gol y sintió el equipo que podía sacar ventaja y ganar el partido, pero se descontroló y en muy poco tiempo el Pachuca nos anotó dos goles, fue un marcador pesado".

El rival más difícil

Tigres luchó, intentó, pero no pudo ante un Pachuca que les repitió la dosis y de nueva cuenta se quedó con la corona del futbol nacional, ante la frustración y tristeza de los regios.

No se trataba de una raya más al Tigre sino de una herida que se repetía como en el Invierno 2001. Era necesario reponerse de dos goles de diferencia y ahora más que nunca se requería el consuelo y visión de Claudio para soportar los recuerdos atormentadores, espantar los malos espíritus y vencer cualquier desánimo.

El defensa central tomó cartas en el asunto. Desde los medios de comunicación no se cansó de asegurar que el marcador adverso era remontable siempre y cuando: "Se jugara con inteligencia, paciencia y sin desesperación".

Consejos que a la mera hora de la verdad, de ese 20 de diciembre, no terminaron por cuajar en la mentalidad de los felinos. Era como un presagio de lo que podría llegar sin avisarles.

"El equipo cae en desesperación muy rápido y creo que de alguna manera también desesperó el árbitro Marco Antonio Rodríguez. Él nos empieza a marcar todo y el Pachuca era especialista en hacer tiempo, en aventar el balón; nos hacían de todo y Marco Antonio Rodríguez parecía que todo era en contra de nosotros, como queriendo decir que tenía mucha personalidad y que no le pesaba la afición de nosotros.

Agridulce logro ▼

Con un par de años de distancia, Claudio repetía un logro que le supo amargo: otro bicampeonato y frente al mismo contrincante.

Claudio, un triunfador nato, no se podía conformar con menos que la victoria. Sin embargo, siempre estuvo con la cara en alto en defensa de su equipo.

Cuando nos tocaba cobrar una falta a un metro de donde se había cometido, el árbitro nos obligaba a regresar o repetir el saque porque no estábamos, según él, a la distancia. Pero cuando un jugador de Pachuca se nos paraba enfrente de la pelota, para que no la moviéramos rápido, nosotros buscábamos la manera de cobrar y nos hacía repetir la jugada. Nos empezó a sacar de quicio y varios compañeros se desesperaron. Expulsan a Antonio Sancho. Luego Irenio se equivoca muy feo y le da un cabezazo a Chitiva y lo sacan. Eduardo Rergis se barre de manera aparatosa y Marco Antonio lo echa.

Ahí el equipo se desesperó y ya no luchó y prácticamente entregamos muy pronto el partido. En el segundo tiempo ya estábamos desanimados, contrario a la anterior Final. Pumpido estaba muy enojado y caliente; buscó al final a Marco Antonio para insultarlo.

Yo creo que él árbitro propició todo eso. Lo más triste es que el mismo equipo del 2001 nos ganó el campeonato.

Se hablaba tantas cosas, pero no nos consta que haya cosas sucias en el futbol, pero nos hace pensar mal porque hay decisiones clave que hacen perder campeonatos: 'Me gustaría nunca enterarme de algo porque me decepcionaría del futbol'.

La gente reconoció lo que habíamos hecho, pero no fue como contra Cruz Azul y Pachuca en la primera Final".

Cuando se tiene una mentalidad ganadora cuesta mucho trabajo reconocer y aceptar que se puede perder aun sea con las injusticias más enormes, pero finalmente quien posee el espíritu de lucha, de disciplina y amor por lo que hace, convierte su vida en un combate constante hasta consolidarla como un guerrero, como un Claudio.

"Todo lo que tengo se lo debo al futbol, a mi familia y a Dios"

Claudio

Figura de exportación

Al otro lado del río

Tigres dejó salir a Claudio sin pensar que en Chivas USA tendría una oportunidad más para mostrar su jerarquía.

Los cuestionamientos hacia su rendimiento fueron más allá del límite de lo normal; se dudó de él, de sus palabras y de su categoría puesta a prueba en las canchas desde 1988-89.

Su presencia en los Estados Unidos, a principios del 2006, daría la pauta para que lo vieran de cerca no sólo los paisanos sino también aquellos que gozan, en el vecino país, del privilegio de reconocer lo que tiene calidad con el sello de: orgullo nacional.

"Alguien me dijo: 'No conozcas a tus héroes porque te desilusionas'. En el caso de Claudio es todo lo contrario"

Antonio Cué

Presidente de Chivas USA

Por algo la recontratación con la directiva felina, con la que se hermanó por cinco años, se dificultó. Parecía que la Divinidad le tenía preparado un diferente y bello escenario en donde Claudio tendría que mostrar por qué él y no otro era el elegido para incorporarse a un equipo de reciente creación.

Chivas USA lo había buscado meses antes para que ingresara como el maestro en la defensa del equipo y de pasadita dejara escuela en la institución.

Antonio Cué presidente del Rebaño en Los Ángeles no dudó en llevárselo tan pronto supo que en su anterior equipo ya no entraba en planes.

A Cué le decían sus allegados y muchos aficionados que se trajera a Claudio. El primero fue Jorge Vergara presidente de Chivas en defender y promover las cualidades de Claudio. A Cué no se le fue el sueño; buscó con decisión a Claudio, a pesar de que otros cercanos a sus oídos le comentaban que el guerrero había dejado atrás su juventud gloriosa.

"La llegada de Claudio a Chivas USA es lo mejor que le ha pasado a este equipo. Cuando lo conocí me fui para atrás porque es un hombre estable y humano. Le ha ido muy bien en la vida, se ha superado en todos los aspectos. Es una gente muy balanceada, creo que todos sus compañeros lo quieren y lo respetan, pero no sólo por su trayectoria sino por su persona que es difícil encontrar en la gente. En lo deportivo me sorprendió por su dedicación, silencio y profesionalismo; a Claudio le interesa trabajar, es un ejemplo".

Calidad internacional ◄

Claudio, ícono mexicano logra establecerse como símbolo entre los paisanos en Estados Unidos.

Claudio llegó a Chivas USA con la gran responsabilidad de ofrecer estabilidad y seguridad. A su nuevo equipo en la temporada del 2005 le había ido terrible. Rompieron el récord de juegos perdidos en la

Regreso con los rojiblancos

Antonio Cué presidente de Chivas USA entrega a Claudio la playera que vestirá por dos años en la ciudad de Carson, California.

historia en la MLS. Las derrotas se habían convertido en algo común en la institución, de hecho fueron considerados el pichón de los contrarios. Al final del torneo sumaron 22 derrotas, 4 victorias y 6 empates; estadística por demás olvidable.

Pero los números no le preocuparon a Claudio porque está hecho a prueba de cualquier reto. Por el contrario, dejó ver con optimismo que podría colaborar, junto con sus compañeros, en la búsqueda de un campeonato que alegrara a los aficionados a Chivas USA en el 2006.

Claudio dejó sus garras en Monterrey y tomó sus chivas para integrarse al equipo dirigido por Bob Bradley, experimentado entrenador que definió a su nuevo refuerzo: "Claudio es un gran líder, es un ejemplo todos los días. Su integración a Chivas USA ha sido muy importante".

"Me siento muy a gusto por la gente que está en el equipo así como por la afición; espero tener una buena época"

Claudio

Claudio por su parte consideró de gran desafío arribar al futbol estadounidense que corre mucho y marca con precisión. Que no escatima esfuerzos para dar lo mejor en la cancha, además de que el registro de rendimiento, de cada jugador, se lleva de manera celosa. Con los números en la mano no hay manera de engañar a nadie porque reflejan la realidad de lo que pasa en la cancha.

"Hay mucha responsabilidad en este equipo, han contratado jugadores de experiencia. En la defensa hay jóvenes y es una responsabilidad marcar la pauta de cómo hacer mejor las cosas, además de que la afición por estos rumbos quiere vernos en buen nivel.

Agradezco a Antonio Cué y en México a Néstor de la Torre que han confiado en mi. Ahora estoy viviendo cómo es este equipo y estoy muy contento con los proyectos que tienen, además de la Liga que está en crecimiento".

Con la serenidad que le caracteriza, Claudio pronostica un futuro exitoso de su equipo y de la MLS.

"Creo que esta Liga va a ser una de las mejores del mundo por lo que están trabajando, creo que lo van a lograr. Ahora tienen 12 años y han mejorado muchísimo. A nivel Selección se nota. Han exportado jugadores en concreto a Europa y eso no es fácil".

Todo parece indicar que al ponerse Claudio la playera de Chivas USA será atinada para él, sus compañeros y la Liga; mientras tanto las buenas noticias ya empezaron: ganó el día de su presentación en Chivas USA y fue convocado por Ricardo La Volpe para participar en el Mundial de Alemania 2006 y obtuvo el campeonato de la Conferencia con Chivas USA en el 2007.

¿Qué más se le puede pedir a la vida? un título en la MLS que le permita entrar en los anales de la historia de la Liga.

"Me insistieron en que llegara a Chivas USA. Me ofrecieron buenas condiciones; me siento feliz de estar en la MLS"

Claudio

Lo mejor de mi vida

El regreso del Mundial 2006 le dio a Claudio la fuerza necesaria para adaptarse a un ambiente exigente y bilingüe.

Claudio tuvo, con sus nuevos compañeros de equipo, con rivales distintos, con un clima más caliente y en ocasiones con un frío que penetra hasta la médula de los huesos, que demostrar la energía como jugador-símbolo-ejemplo en la cancha y fuera de ella.

Acostumbrado a retos de todo tipo aprovechó la cálida bienvenida que los aficionados a Chivas USA le brindaron a su llegada a Carson, California. A Claudio le motivó el reconocimiento y respeto que le ofrecieron y para corresponder a la medida de tantos elogios, Claudio, en el año de su llegada, anotó 6 goles, jugó 20 partidos, más dos encuentros de Liguilla.

"Me agradó mucho que creyeran en mi trabajo y respetaran lo que había hecho en México. Exigieron desde el primer momento mis cualidades y lo he dado todo con mis 39 años de edad. A partir de que llegué a Estados Unidos he disfrutado cada juego, el nivel de estrés es diferente y eso me ha ayudado mucho a jugar y sentir la admiración de los compañeros como de los rivales. Cada juego me felicitan y me preguntan que cómo le hago para mantenerme a la altura".

Su participación en ese torneo fue clave para sacar desde el fondo de la tabla de posición, y de la depresión más grande, a sus nuevas chivas rayadas, esas que se encuentran al otro lado del Río Bravo.

El 2007 la MLS (Major League Soccer) fue testiga de que un jugador puede ser la diferencia en un equipo. Claudio aportó su experiencia, colmillo, tranquilidad, sabiduría, lucha, trabajo y disciplina. Los

Con los grandes de la MLS ▶

David Beckham (izquierda) y Landon Donovan observan a Claudio Suárez después de una falta a favor de Chivas USA.

Abajo izquierda, Claudio posa con sus compañeros de equipo en el 2008.

compañeros de equipo le siguieron las pisadas y juntos llevaron ese año a las Chivas USA a su primer campeonato de la Conferencia aunque fueron eliminados en el segundo encuentro de la Liguilla. No obstante, Claudio mostró en los 28 encuentros jugados y con tres goles anotados por qué se le dio el trofeo, por segundo año consecutivo, del mejor defensa del equipo que le valió para ser considerado en la terna de la Liga.

"Fue un equipo más constante. Salimos campeones de la Conferencia y jugamos muy bien al futbol; hicimos que la gente creyera en nosotros, ese fue un proceso que logramos poco a poco y nos empezaron a ayudar los mismo aficionados. Metimos gente en nuestro estadio y también al de nuestros rivales. Movimos la pasión hacia Chivas USA".

La capacidad de adaptación y resistencia de Claudio le ha permitido aspirar en el 2008 a luchar por un título, un campeonato más en su vida deportiva que le pondría la cereza al pastel. De ocurrir, será para su brillante trayectoria como una estrella que ilumine su adiós al futbol.

"Mi objetivo y el reto es ser campeón con Chivas USA. Sé que es mi última oportunidad para lograrlo y lo buscaré hasta obtenerlo".

Un modelo a seguir

Reencuentro que alegra el corazón

"Para mí ha sido un ejemplo, de los mejores centrales en México. Yo he aprendido de su ubicación, inteligencia y su fina técnica. Aprendí de su temperamento y clase"

Rafael Márquez

Jugador de futbol

Claudio bajó a los vestidores del Estadio Azteca para encontrarse una vez más con sus compañeros de la Selección Mexicana.

Todos llegaron el 13 de noviembre del 2005 con el deseo de reunirse con el grupo que logró el pase al Mundial de Estados Unidos 94. Aquel evento internacional los unió y les heredó una amistad profunda. Ahora, el motivo sería un juego de apoyo a los mexicanos del sur del país que fueron víctimas del paso de los huracanes Wilma y Stan.

Del 94 a la fecha habían pasado 11 años, quizás 14 desde que el técnico argentino César Luis Menotti inició en 1991 la consolidación de un grupo al que Miguel Mejía Barón le dio continuidad y un sello especial. Bora Milutinovic, Manolo Lapuente, Enrique Meza, Javier Aguirre y Ricardo La Volpe, quienes se encargarían de hacer valer y desarrollar un trabajo que le mostraría al mundo otro perfil de mexicanos dentro y fuera del terreno de juego.

Los compañeros de Claudio reunidos debajo de las tribunas, de donde salieron por años las fuerzas para ganar encuentros y hacer vibrar a los miles de aficionados, tenían un pretexto más para verse las caras y recordar anécdotas. Todos veían en sus rostros las huellas del tiempo y discretamente fingían no darse cuenta. Sabían que la fuerza de la juventud ya no era la misma aunque Claudio presumiera de ser el único con actividad en el futbol profesional.

"A mí me dicen Claudio Suárez, yo cierro los ojos y digo: 'Un ejemplo a seguir'"

Carlos Hermosillo

Ex jugador de futbol

La escena del 94 se repitió una vez más entre las toallas, mesa de masaje, asientos y regaderas: gritaban, hablaban, reían, bromeaban y escuchaban a Mejía Barón con el respeto, que les merece el técnico, que les dio la oportunidad de jugar unidos en un Mundial.

Tuvieron minutos para intercambiar impresiones y cuando se tocó el tema de Claudio y sus aventuras futbolísticas éste se sorprendió de que sus compañeros le mostraran algo de lo que sabía que era, pero no en boca de sus amigos.

Por unanimidad

Alta escuela

Por sobre todas las adversidades, la figura de Claudio se dibuja ya en el firmamento del futbol nacional e internacional.

Mejía Barón mostró el camino y el paso a seguir, con la mirada en el pasado sin descuidar el presente. Daría unos minutos para hablar de Claudio y los demás le harían segunda. Mejía Barón debutó a Claudio en Pumas y lo hizo porque buscaba a un jugador con técnica individual, remate de cabeza y tranquilo.

Cerca de los técnicos

Claudio (centro) mantuvo buena relación desde 1992 con Javier Aguirre y Miguel Mejía Barón (ambos de traje).
Abajo, Juan de Dios Ramírez Perales carga a Claudio, a falta de una camilla, después de ser lesionado en la Copa América 93.

Claudio jugaba en todas las posiciones y lo hacia con solvencia atractiva para Mejía Barón: "Hoy puedo decir que Claudio ha sido uno de los jugadores más solidarios que he tenido la oportunidad de tratar, con un gran respeto, sin retar mis decisiones; él es un ejemplo".

De repente se escucha una voz que recuerda a César Luis Menotti: "Para mí fue una sorpresa cuando llegó a la Selección en 1992 y creo que tuvo un arribo tardío. Claudio ha marcado una escuela; deben en México revisar los videos de él, porque si alguien quiere aprender debe verlo jugar. Es un jugador que se compromete, no flaquea, es excepcional. Yo lo compararía con los grandes centrales del mundo".

Bora Milutinovic se incorpora y agrega una cereza más al pastel: "Él es un símbolo". Manolo Lapuente mira a su alrededor y se anima a compartir un poco de su experiencia: "Él es muy profesional y dedicado; él debería perdurar en el futbol. Me fijé en él por su calidad de líder, por su carácter, prestancia, actitud positiva en la derrota o victoria. En la cancha imponía respeto, nunca fue un jugador sucio, era buena persona y lo podía poner en cualquier posición. Nunca dijo no. La estadística habla de quién es Claudio Suárez: "El Emperador". Claudio fue el jugador principal para el Mundial del 98 porque pensé: 'Claudio y 18 más'".

Enrique Meza recuerda a los presentes que lo tuvo en el Tricolor por casi ocho meses: "Claudio nació para jugar futbol, nunca dejó de entrenar, ni rehuyó al trabajo; su liderazgo se nota en los hechos. Él podría competir por ser de los mejores centrales que han existido en México. Tiene calidad y profesionalismo".

Javier Aguirre se concreta a decir: "Claudio es un emblema, su madurez siempre fue mayor a la media, su versatilidad es indiscutible".

Muy cerca de los técnicos presentes se encuentra Ricardo La Volpe, quien desea de manera breve resumir lo que Claudio representa

"Es uno de los emblemas del futbol mexicano; hay pocos como él: muy sencillo y con muchos éxitos. Sus juegos con la Selección hablan de una constancia y de trabajo"

Jesús "Chucho" Ramírez

Técnico de futbol

a sus ojos: "Él es un jugador muy inteligente y pensante, sabe leer los partidos, sabe achicar y es tiempista. Él equilibra no tener la rapidez física, con tener la rapidez mental".

El ambiente se torna agradable y se abren las puertas del diálogo para los jugadores que tienen algo que decir. Casi todos levantan la mano, no pueden dejar ir la oportunidad.

Misael Espinoza habla con delicadeza y alegría como si tuviera el balón enfrente de él: "Es un tipo muy inteligente, se anticipa y sabe cuándo salir jugando y cuándo no; difícilmente arriesga una pelota sin necesidad, es elegante. Puede equivocarse tres o cuatro veces en el entrenamiento y la sigue intentando, no se pone nervioso".

Desde una esquina del vestidor Juan de Dios Ramírez Perales escucha lo que han dicho de su gran amigo y decide agregar algo más: "Él es uno de los mejores jugadores que han existido en nuestro país, es una excelente persona, siento mucho que no haya jugado en Europa. Claudio es ejemplo, un auténtico profesional de lo que significa el futbol".

Guillermo Vázquez asienta con la cabeza lo que se ha dicho, llama la atención de los presentes y dice: "Lo que yo le vi a Claudio cuando fuimos a Viareggio, Italia en 1988 fue el carácter, no le daba miedo jugar en ninguna posición; un chico de mucho sacrificio, entonces tenía mucha ambición de ser jugador de Primera División".

Como si fuera un calentamiento previo a una Final, Luis Antonio "Cadáver" Valdés interviene porque considera su opinión importante: "Lo que siempre caracterizó a Claudio en la defensa fue ese liderazgo, no hablando sino que con su juego y futbol mostraba esa seguridad y que por ende lo transmitía al equipo".

Ramón Ramírez se pone de pie y señala: "Claudio merece estar en las páginas más importantes de la historia del futbol. Él nunca se agrandó

"Claudio es un tipo ganador, un jugador inteligente porque sabe sus virtudes y sus limitaciones"

Marcelino Bernal

Ex jugador de futbol

Entre figuras ▲

Claudio posa junto con el tenor Plácido Domingo acompañado por su amigo Marcelino Bernal (de blanco).
Abajo, equipo base que representó a México en el Mundial de Estados Unidos 94.

"Inicié como profesional y Claudio ya era una figura. Él impone condiciones en la defensa y nadie pide su retiro, ni lo aceptaremos con mucha facilidad el día que lo decida"

Félix Fernández

Ex jugador de futbol

por que tenía mucha ambición de jugar, nunca lo rebasó la fama".

Marcelino Bernal compañero de Claudio en dos Mundiales sonríe, mira a cada uno de los presentes y presume que por mucho tiempo los confundieron: "Algunas veces me gritaba la gente: 'Claudio una foto' y a él: 'Bernal déjame tomarme una contigo'. Respecto a lo futbolístico Claudio sabía en qué momento hacer el achique para provocar al rival al fuera de lugar. En lo familiar es un excelente padre; creo que eso le ha valido el reconocimiento de toda la gente del futbol".

Poco antes de ponerse los zapatos de juego levanta la mano y dice: "Ahora voy yo". Con su altura y fortaleza física Roberto Alves "Zague" participa, va al grano como si estuviera a punto de anotar el gol: "Hablar de Claudio es hablar de los íconos del futbol mexicano de los últimos años. Yo lo vi nacer en el futbol, siempre fue profesional, callado, pero con una efectividad impresionante. Él es un pilar de esa nueva generación de jugadores que nacieron después de los cachirules de 1988. Las muchas veces que nos enfrentamos como rivales siempre se comportó con respeto y fue recíproco. Él bromeaba mucho conmigo porque me decía durante el juego: 'Ratón brasileño-mexicano', y le respondía: 'Tú eres el ratón verde'. Le metí varios goles, pero también él tuvo muy buenos juegos contra mí".

Altos vuelos ▲

Claudio festeja junto con sus compañeros una anotación.

Alberto García Aspe se mantiene a cierta distancia sin salirse de la conversación. Su temperamento se distingue de los demás compañeros; él observa y amaga: "Claudio se me hace una persona que trabaja al 100 por ciento siempre; es un gran tipo. Jugar en la defensa central fue lo mejor que le pudo haber pasado porque en su momento se convirtió en el mejor central de México. Para poder mantenerse como él se mantuvo es necesario tener una vida muy ordenada; lo admiro, él debe ser un ejemplo".

Carlos Hermosillo se adelanta como en sus mejores tiempos a la jugada. Mira a los ojos a todos los que están reunidos y menciona: "Como rival era uno de los defensas más enfadosos, estaba encima de mí al grado que ya no lo quería ni ver en la cancha. A mí no me gustaba jugar contra Claudio porque era muy concentrado, muy bien ubicado. Siempre teníamos encuentros ríspidos, nos llegamos a pegar,

"Tiene una gran calidad, es emblemático, ejemplar. Él vino a hacer una diferencia, él basa su juego en la inteligencia"

Jared Borgetti

Jugador de futbol

entrábamos duro con todo y codazos. Él es callado, pero muy seguro. En la etapa de él en Pumas debí meterle a Jorge Campos cinco goles, siempre tardé un poco. Yo le decía cosas, pero él no respondía nada.

Cuando se trataba de que Claudio hablara en reuniones del equipo era muy certero, en ocasiones directo y frontal. Su posición de capitán de la Selección le daba la oportunidad de tratar con todos los que encontraban en él una gran disposición".

A Pável Pardo le llama la atención el silencio que reina en el vestidor, se asoma y pregunta de qué se trata. Se interesa y de inmediato toma la iniciativa para dar lo que su corazón tiene: "Claudio es una persona humilde, de los más regulares; para mí ha sido un ejemplo dentro y fuera de la cancha. Era el mejor, salía al achique, ordenado, traía ubicación. No era un tipo que gritaba, pero con su seriedad para jugar ponía orden. Un día en San Vicente, para el Mundial del 98, estábamos formados para el himno y todos nos deseamos suerte. Claudio se acercó y me dijo: 'Suerte, de aquí no te vas'. Me dejó grabado porque el sueño de llegar a la Selección y que un tipo tan importante me lo haya dicho fue de gran satisfacción".

Amigo internacional ▲

Claudio superó a Lothar Matthäus en juegos de selección contra selección.
Abajo, Claudio es apoyado por Ignacio Ambriz en un entrenamiento.

"Él siempre jugó al mismo nivel, muy constante; mentalmente jugaba igual en casa como de visitante"

Joaquín del Olmo

Ex jugador de futbol

Ignacio Ambriz con aire europeo toma la palabra; confía a todos que él vio cuando Claudio llegó por primera vez al Tricolor: "Miren, Claudio no era un jugador muy rápido, pero era tiempista, que marcaba bien y que se anticipaba de cabeza. Desde la tribuna se veía como que no era un líder, quizás por su forma de caminar, pero ustedes saben que en la cancha era el primero que nos hablaba y corregía. Siempre estaba con el buen aliento de tratar de mejorar o ¿Quién de los presentes duda de su valor y profesionalismo?". Nadie contestó.

Con la serenidad que le caracteriza, como si estuviera en la media cancha y con el balón controlado Benjamín Galindo se dispone a dar un toque fino a lo que ronda en su cabeza: "Claudio siempre fue profesional y creo que debe ser un ejemplo para todos aquellos que vienen en camino. Él es un ídolo dentro de la Selección Mexicana. Él siempre cuidó su imagen y estuvo atento para ayudar a los jóvenes. Él es un tipo serio y ganador".

El turno le toca a Oswaldo Sánchez. Es concreto, sin miramientos cuando se refiere a su amigo: "Aprecio mucho su calidad humana porque siempre está dispuesto a colaborar con la gente, además de que es un profesional en toda la extensión de la palabra. Somos socios en un negocio".

Faltan pocos minutos para que la generación del 94 salga a la cancha. El tiempo se acorta por ello Raúl Gutiérrez el "Potro" da un paso antes que otra cosa suceda: "Era demasiado callado, pero el tiempo le ayudó a tener una buena comunicación, que gracias a su calidad pudo lograr ser un jugador con jerarquía".

Jaime Ordiales se atreve a gritar desde la puerta de salida a la cancha: "Sobre todo Claudio tiene profesionalismo, constancia, dedicación, trabajo, buena persona. Le guardo un gran aprecio porque ha sabido sobreponerse a los inconvenientes".

Antes de finalizar la amena convivencia le llega a Claudio un poco más de suerte. El portero Óscar Pérez dice: "He aprendido mucho de él, sobre todo de su calidad humana".

Ricardo Peláez lleva prisa, pero no quiere dejar de expresar en pocas palabras cómo ve a Claudio: "Tuvimos muchos enfrentamientos deportivos, pero siempre que terminaba el partido la mano de por medio. Luego coincidimos en Chivas y ahí fuimos grandes compañeros. Íbamos muy bien por arriba, chocábamos nunca a lesionarnos, con una gran entrega. Tuvimos golpes, me dio y le di, éramos bastante bravos dentro de la cancha. Los juegos que tiene en la Selección hablan de una historia imborrable, difícil de superar, eso es Claudio Suárez".

Con más tranquilidad, como si fuera a dar un pase preciso al centro del área Ramón Morales resume la personalidad de quien considera un amigo que tuvo la paciencia de enseñarle a tener más valor: "Una vez en Chivas a Claudio le tocó describirme como jugador. Tan sólo él escribió algo que me ha ayudado en mi carrera como futbolista: 'Debes creer más en ti'. Él es un líder que ayuda y hace un bien al equipo".

El silencio en el vestidor continúa, todos escuchan con atención. Es la primera vez que juntos ofrecen un espacio para hablar de uno de ellos. Francisco Palencia cruza el umbral del vestidor, para asegurar: "Día a día Claudio entrena al 100 por ciento, nunca se guarda nada en

Puros compadres ▲

Claudio disfruta su amistad con Jorge Campos (de izquierda a derecha) y Alberto Coyote. Abajo, en las cataratas de Iguazú con Alberto García Aspe (de izquierda a derecha), Jorge Campos, Claudio, Paulo César "Tilón" Chávez y Rafael Márquez.

"Claudio es un referente para todos los mexicanos. Toda su carrera ha sido limpia y honesta; no por algo es el hombre con más partidos en la Selección Mexicana, un ejemplo como ser humano y profesional"

Pável Pardo

Jugador de futbol

ningún partido ni entrenamiento y siempre trata de ser el mejor o ¿no?". Palencia cede la palabra a Hugo Sánchez, ex técnico de la Selección Mexicana, quien de manera frontal dice: "Es ejemplar no solamente en la calidad técnica sino en su liderazgo y talento que siempre mostró dentro y fuera de la cancha. Difícilmente en el mundo se pueden ver jugadores de la calidad técnica y personalidad de Claudio".

Para cerrar la sesión toma la palabra un invitado que todos conocen y respetan. Alberto Coyote dice: "Para mí Claudio es una persona íntegra. Siempre ha sido profesional para defender las playeras que se ha puesto, por eso es un ídolo y un referente. La humildad no la perdió, tiene un temple que ha sabido comunicar a todos los que han convivido con él".

Una vez más Mejía Barón interviene. Su postura corporal y mirada lo muestran orgulloso al conocer que todos los jugadores de altura que él dirigió coinciden en tres puntos: México, el futbol y Claudio, un extraordinario ejemplo a seguir.

El oro ▲

Claudio el capitán del Tricolor recibe la Copa Confederaciones. El trofeo ganado en 1999 ante Brasil en el Estadio Azteca, es el título más importante obtenido por la Selección mayor.

"Es un ejemplo como jugador y como mexicano; es una maravillosa persona y un gran amigo"

Luis Hernández

Ex jugador de futbol

ÍNDICE DE FOTOS

Agradecemos a quienes de manera generosa
obsequiaron fotografías para la construcción visual
del libro: *Claudio Suárez: Historia de un Guerrero.*

PORTADA y CONTRA PORTADA Fotos:
Mexsport

Pág. 3 Foto: *Mexsport*. La FIFA rindió un homenaje al defensa central mexicano, Claudio Suárez, antes del encuentro con Corea, por acumular 158 partidos internacionales con la Selección Nacional.
Pág. 4 Foto: *Público*
Pág. 5 Foto: *Mexsport*
Pág. 6 Foto: *Esto*. Archivo familia Suárez Cano. Copa Confederaciones, Arabia Saudita.
Pág. 9 Foto: *Mexsport*
Pág. 10 Foto: *Mexsport*
Pág. 12 Foto: *Mexsport*
Pág. 14 Foto: *Esto*. Archivo familia Suárez Cano. Copa Confederaciones.
Pág.16 a 17 Foto: *Esto*. Archivo familia Sánchez Cano. Claudio en un juego contra el equipo italiano Juventus.

CAPÍTULO 1.- Secretos de familia

Pág. 18 Foto: Archivo familia Suárez Sánchez. Reunidos a las afueras de la Basílica de Guadalupe, ciudad de México.
Pág. 19 Foto: Archivo familia Suárez Cano. Fe de bautismo de Claudio Suárez.
Pág. 20 Fotos: Archivo familia Suárez Sánchez.
Pág. 21 Foto: Archivo familia Suárez Sánchez.
Pág. 22 a 23 Fotos: Archivo familia Suárez Sánchez.
Pág. 24 a 25 Fotos: Archivo familia Suárez Sánchez.
Pág. 26 a 27 Fotos: Archivo familia Suárez Sánchez.
Pág. 28 a 29 Foto: Archivo familia Suárez Sánchez.
Pág. 30 Foto: Arriba izquierda, archivo familia Suárez Sánchez. Abajo derecha,Club Universidad Nacional A.C.
Pág. 31 Foto: Archivo familia Suárez Sánchez.

CAPÍTULO 2.- Cachorro de puma

Pág. 32 Foto: Archivo familia Suárez Cano, Estadio Azteca.
Pág. 34 Fotos: Arriba izquierda *Mexsport*. Abajo derecha, archivo familia Suárez Cano.
Pág. 35 Fotos: Archivo familia Suárez Cano.
Pág. 36 Foto: Archivo familia Suárez Cano.
Pág. 37 Foto: Archivo familia Suárez Cano.
Pág. 38 Fotos: Arriba derecha, archivo familia Suárez Cano. Abajo izquierda, Club Universidad Nacional A.C.
Pág. 39 Foto: Club Universidad Nacional A.C.
Pág. 40 Foto: Club Universidad Nacional A.C.
Pág. 41 Foto: Club Universidad Nacional A.C.
Pág. 42 Foto: Archivo familia Suárez Cano.
Pág. 43 Fotos: Arriba derecha *Mexsport*. Abajo derecha, archivo familia Suárez Cano.
Pág. 44 Foto: Arriba izquierda, archivo familia Suárez Cano. Abajo derecha, *Mexsport*.
Pág. 46 a 47 Foto: Archivo familia Suárez Cano.
Pág. 48 Foto: Arriba izquierda, archivo familia Suárez Cano.
Pág. 49 Fotos: Arriba derecha, archivo familia Suárez Cano. Abajo, Club Universidad Nacional A.C.

CAPÍTULO 3.- El poder de la unidad

Pág. 50 Foto: *Mural*, Grupo Reforma.
Pág. 52 a 62 Fotos: Archivo familia Suárez Cano.
Pág. 63 Foto: El Vaticano, archivo familia Suárez Cano.

CAPÍTULO 4.- Piel de chiva

Pág. 64 Foto: Pedro Vázquez, archivo familia Suárez Cano.
Pág. 66 Foto: *Ovaciones*, archivo familia Suárez Cano.
Pág. 67 Foto: *Esto*, archivo familia Suárez Cano.
Pág. 68 Foto: Archivo familia Suárez Cano.
Pág. 69 Foto: Arriba izquierda, *Mexsport*. Abajo, archivo familia Suárez Cano.
Pág. 70 Fotos: Archivo familia Suárez Cano.
Pág. 71 Fotos: Pedro Vázquez. Archivo familia Suárez Cano. Abajo derecha, archivo familia Suárez Cano.
Pág. 72 a 73 Fotos: Archivo familia Suárez Cano.
Pág. 74 Fotos: Archivo familia Suárez Cano.
Pág. 75 Foto: Arriba izquierda *Mexsport*. Abajo: Pedro Vázquez, archivo familia Suárez Cano.
Pág. 76 Foto: Archivo familia Suárez Cano.
Pág. 75 Foto: *Mexsport*.

CAPÍTULO 5.- Una mirada al mundo

Pág. 78 Foto: *Esto,* archivo familia Suárez Cano.
Pág. 80 Foto: Arriba izquierda, *Esto,* archivo familia Suárez Cano. Abajo derecha, *Mexsport.*
Pág. 81 Fotos: Archivo familia Suárez Cano.
Pág. 82 Foto: *Mexsport.*
Pág. 83 Fotos: Archivo familia Suárez Cano.
Pág. 84 Fotos: Archivo familia Suárez Cano.
Pág. 85 Foto: Arriba derecha, *Esto,* archivo familia Suárez Cano. Abajo izquierda, *Mexsport.*
Pág. 87 Fotos: *Mexsport,* archivo familia Suárez Cano.
Pág. 90 Fotos: Arriba derecha, archivo familia Suárez Cano. Abajo derecha *Mexsport.*
Pág. 91 Foto: *Mexsport*
Pág. 92 Fotos: Archivo familia Suárez Cano.
Pág. 91 Foto: Archivo familia Suárez Cano.
Pág. 94 Foto: *Mexsport.*
Pág. 95 Foto: Archivo familia Suárez Cano.
Pág. 96 Fotos: *Mexsport.*
Pág. 97 Foto: *Mexsport.*
Pág. 98 Foto: *Mexsport.*
Pág. 99 Fotos: Arriba izquierda *Mexsport.* Abajo derecha *Récord.*
Pág. 100 a 101 Fotos: *Mexsport.*

CAPÍTULO 6.- Dolor superado

Pág. 102 Foto: *Mural,* Grupo Reforma.
Pág. 104 Foto: *Esto y Ovaciones.*
Pág. 105 Foto: *Esto.*
Pág. 107 Foto: *Ovaciones*
Pág. 108 Foto: Archivo familia Suárez Cano.
Pág. 109 Foto: Arriba derecha, *Ovaciones.* Abajo derecha, archivo familia Suárez Cano.
Pág. 110 Foto: Archivo familia Suárez Cano.
Pág. 111 Foto: *El Universal.*
Pág. 112 Foto: Archivo familia Suárez Cano.
Pág. 113 Foto: Radiografía. Sinergia Deportiva S.A. de C.V. / Club Tigres de la UANL.
Pág. 114 Foto: *Mexsport.*
Pág. 115 Foto: *Mexsport.*

CAPÍTULO 7.- Zarpazo de tigre

Pág. 116 Foto: *Mexsport.*
Pág. 118 Foto: *Récord.*
Pág. 119 Foto: *Mexsport.*
Pág. 120 Fotos: *Mexsport.*
Pág. 121 Foto: *Houston Chronicle.*
Pág. 122 Foto: *Mexsport.*
Pág. 123 a 124 Fotos: *Récord.*
Pág. 125 a 128 Fotos: *Mexsport.*
Pág. 129 Foto: *Récord.*
Pág. 130 Foto: *Récord,* Arriba derecha, *Mexsport* Abajo derecha.
Pág. 131 Foto: *Récord.*

CAPÍTULO 8.- Figura de exportación

Pág. 132 Foto: *Mexsport.*
Pág. 134 Fotos: Chivas USA/ Juan Miranda.
Pág. 136 Foto: Chivas USA/ Juan Miranda.
Pág. 137 Fotos: Chivas USA/ Juan Miranda.

CAPÍTULO 9.- Un modelo a seguir

Pág. 138 Foto: *Mexsport.*
Pág. 140 Foto: Arriba izquierda, archivo familia Suárez Cano. Abajo derecha, *El Universal.*
Pág. 141 Fotos: Archivo familia Suárez Cano.
Pág. 142 Fotos: Arriba derecha, *Mexsport.*
Pág. 143 Fotos: Arriba izquierda, archivo familia Suárez Cano. Abajo izquierda, *Público, Mexsport.*
Pág. 144 Fotos: Archivo familia Suárez Cano.
Pág. 145 Foto: Víctor Arévalo Pérez.
Pág. 150 Foto: *Mexsport.*

Claudio Suárez: Historia de un Guerrero
se terminó de imprimir en mayo de 2008,
en los talleres gráficos de Editorial Pandora S.A. de C.V.,
Caña 3657, La Nogalera, Guadalajara, Jalisco, México.